Franz Schaub / Bernd Pattloch · Aschaffenburg

Franz Schaub/Bernd Pattloch

Aschaffenburg

Erlebnis einer Stadt

Paul Pattloch Verlag · Aschaffenburg

Bildnachweis:

Bildarchiv der Stadt Aschaffenburg: 1, 8, 10, 12, 18, 21, 24/25, 33, 49, 52/53, 55,
    60, 61, 64, 80/81, 87, 93, 102/103
Stadtarchiv: 14
Städtisches Museum: 48
Bildmappe Aschaffenburg (Geschichts- und Kulturverein Aschaffenburg): 16, 19, 28,
    34, 39, 59, 92, 97, 100/101
Bildarchiv Aschaffenburger Volksblatt: 66, 67, 68, 70, 71, 79, 82
Pattloch Archiv: 27, 30, 35, 37, 38, 41, 45, 51, 56, 84, 99
Jürgen Bormann: 106/107
Lothar Brauch: 57, 105
László Ertl: 72/73, 75
Detlev Herz: 43
Oliver Klement: 9, 11, 20, 22, 23, 29, 31, 36, 44, 47, 50, 63
Walter Mattgey: 17, 77, 96
Henry Meyer: 88, 89, 90

Die Übersetzung ins Englische besorgte Timo Piecha, Aschaffenburg,
ins Französische J. F. Verdier, Chambourcy / Frankreich

© 1985 by Paul Pattloch Verlag, 8750 Aschaffenburg
Umschlaggestaltung: Hans Numberger
Satz: Fotosatz Völkl
Druck und Einband: Erhardi Druck GmbH, Regensburg

ISBN 3 557 92008 9

Inhalt

Zum Geleit

Es ist selbstverständlich geworden, daß in unserer Zeit über jede Stadt mit einer gewissen Bedeutung Schriften veröffentlicht werden, die über die Stadt informieren. Dies kann auf vielfältige Weise geschehen.

Bei einem Buch über Aschaffenburg drängt sich ganz besonders die Darstellung der über 1000jährigen Geschichte auf. Unsere Stadt hat ja nach wie vor auch eine beachtliche Zahl von steinernen Zeugen ihrer Vergangenheit vorzuweisen. Auf sie sind wir stolz, wir erhalten und restaurieren sie. Es bietet sich natürlich besonders an, sich in einem Buch über Aschaffenburg mit ihnen in Wort und Bild auseinanderzusetzen.

Wenn dies, wie im vorliegenden Fall, nicht mit trockenen, dürren Worten, sondern in einer anschaulichen Sprache geschieht, ist die Aufmerksamkeit des Lesers von vornherein sicher.

Wer Aschaffenburg besucht, wird aber auch feststellen, daß wir uns nicht auf den Lorbeeren der Vorfahren und Vorgänger ausruhen, sondern versuchen, unsere Stadt Schritt um Schritt lebens- und liebenswerter zu machen. Wenn es dabei über Details manchmal heftige Diskussionen gibt, ist das für eine abgewogene Meinungsbildung gut und richtig.

Heute können wir mit Stolz darauf verweisen, daß unsere Stadt in Bayern zwar von der Einwohnerzahl an 11. Stelle steht, aber von der Wirtschaftskraft her gesehen eine gute Position einnimmt. Dies wiederum gewährleistet, daß wir in der Lage sind, die notwendigen Ausgaben zu finanzieren, um über die sog. Pflichtaufgaben hinaus für viele Bereiche des kommunalen Lebens initiativ zu werden.

Möge dieses Buch mithelfen, Aschaffenburg so darzustellen, wie wir unsere Stadt sehen: als eine liebenswerte Stadt, in der man sich wohlfühlen kann.

Aschaffenburg, im Sommer 1985

Dr. Willi Reiland
Oberbürgermeister

Das Schloß Johannisburg. – Der mächtige Rotsandsteinbau beherrscht das Panorama am Main

The castle Johannisburg.– The mighty sandstone construction rules over the Main valley

Le château de Johannisburg. – Cet imposant édifice de grès rose domine le cours du Main

Erlebnis Aschaffenburg

Es ist ganz gleich, aus welcher Richtung man sich der Stadt Aschaffenburg nähert: Man erkennt immer das Schloß, dieses mächtige, aus Sandsteinen errichtete Bauwerk, das mit seinen Türmen rostrot über die Dächer der Häuser emporragt, am Ende vieler Straßen schemenhaft auftaucht und wie eine Kulisse zwischen den Häuserzeilen steht.

Das Schloß Johannisburg ist nicht nur baugeschichtlich interessant, sondern es ist im Laufe der Zeit zu einem Symbol für die Stadt geworden, es ist ihr Wahrzeichen, ein Prädikat, ein Denkmal, das in dieser Form einmalig ist. Andere Städte haben zwar ebenfalls ihre besonderen Attribute, deren Nennung allein schon genügt, um die geistige Verbindung zu ihnen zu schaffen. Das „Käppele" gehört zu Würzburg, Bamberg besitzt „Klein-Venedig" an der Regnitz, Nürnberg den „Plärrer", um nur drei Beispiele zu nennen.

Das kurfürstliche Viertürmeschloß mit Bergfried aber gehört nicht nur zu Aschaffenburg, es ist Aschaffenburg und gibt dieser Stadt einen außergewöhnlichen Reiz.

Ist man erst in der Stadt selbst, in ihrer Mitte, dort vielleicht, wo das Schloß nicht mehr als Gesamtbauwerk betrachtet werden kann, sondern wo es sich mit seinen Mauern, Fialen, Voluten und anderen steinernen Verzierungen darbietet, dann ist man ebenfalls von der imposanten Größe des Bauwerks beeindruckt und kann sich eines Staunens nicht erwehren. Läßt man schließlich das gesamte Panorama der Mainseite, das Schloß auf der hohen, sandsteinfarbigen Terrasse und die es umgebenden Anlagen, auf sich wirken, dann versteht man die schwärmerischen Lobpreisungen, mit denen vor allem die reisefreudigen Poeten im 19. Jahrhundert Schloß und Stadt beschrieben haben.

„Bayerisches Nizza" nannte König Ludwig I. von Bayern die Stadt. In der ersten Hälfte unseres Jahrhunderts übernahmen Johann Schober und Dr. Karl Kihn, zwei verdiente Heimatforscher, diese Bezeichnung als Titel für die Broschüre „Führer durch die Stadt", und später schrieb der Lehrer Julius Maria Becker, der die Schönheiten seiner Heimatstadt in burlesken Farben den Einheimischen und Fremden präsentierte: „Die Stadt ist ihr Schloß". Diese etwas seltsame Formulierung ist angebracht. Die Stadt ist ihr Schloß nicht nur,

Blick von der Pfaffengasse auf den Ostturm des Schlosses. In diesem Turm befindet sich das Carillon

View from the Pfaffengasse to the east tower of the castle. The carillon is located in this tower

La tour orientale du château vue de la Pfaffengasse (rue aux Clercs). Cette tour abrite le carillon

was die äußeren Konturen anbelangt. Das Schloß ist das unverändert gebliebene Zeichen kurfürstlicher Macht und Größe. Es erinnert an die Zeit, in der Aschaffenburg zum Mainzer Erzstift gehörte und Sommerresidenz der Kurfürsten war. Erst 1814 kam Aschaffenburg zu Bayern.

Alles aber, was in dieser Stadt auch heute noch von Bedeutung ist, stammt aus der Mainzer Zeit. Somit ist die „Mainzer Chronik" zwar nicht lückenlos auf Mainz fixiert,

sie beginnt um das Jahr 1000, aber sie endete nicht im frühen 19. Jahrhundert; sie scheint endlos zu sein, denn die Bedeutung des Kurstaates Mainz für die Stadt ist zwar Vergangenheit, die Resonanz jedoch ist in der Gegenwart spürbar und macht das aus, was als „Erlebnis Aschaffenburg" bezeichnet werden kann.

Dazu gehört vieles, was nicht so ohne weiteres mit bestimmten Denkmälern oder Kunstgegenständen zusammenhängt. Die

Das Deckelmann-Haus an der Schloßgasse ist nach dem Krieg stilgerecht wiederaufgebaut worden

The Deckelmann house at the Schlossgasse is one of the best preserved half timbered houses in the city

La maison Deckelmann, située Schloßgasse, est l'une des maisons à colombages les mieux conservées de la ville

10

Grundriß der Stadt Aschaffenburg (Einteilung der drei Pfarreien). Stahlstich von J. J. Tanner aus dem Jahre 1809 (Schloßmuseum der Stadt Aschaffenburg)

Ground plan of Aschaffenburg dating back to the year 1809. Schlossmuseum

Plan de la ville d'Aschaffenburg datant de 1809. Musée du château

einen werden vom Schloß und seinen Schätzen so fasziniert sein, daß sie sonstigen Dingen keine Bedeutung beimessen. Andere werden die Altstadt reizvoll finden, dritte werden Spaziergänge in den Anlagen schätzen, diejenigen, die angereist kommen und von einer „City-Galerie" und einem „Bummelmarkt" angetan sind, werden das Erlebnis in den prosaischen Bereichen des Alltäglichen finden. Für alle aber ist die Stadt eine Heimat, auch wenn sie hier nur Gastrecht genießen. Für die Einheimischen ist sie ein Ort der Traditionen, für die Zugewanderten eine Oase der Geborgenheit.

Nicht von ungefähr hat schon Immermann den Begriff Heimat mit seinem Besuch in Aschaffenburg zu deuten versucht. Bettina von Arnim, geborene Brentano, hat ebenfalls in ihrem Tagebuch die Besuche in

der Stadt zur Zeit Dalbergs als „Erlebnisse" bezeichnet. Graf von Platen und Helmina von Chézy empfanden ähnlich. Und die vielen, die von der Stadt Abschied nahmen und in der Fremde über sie schrieben, so beispielsweise Dr. Alois Lautenschläger, der als Facharzt in Berlin praktizierte und seine Porzellansammlung der Stadt vermachte, erkannten das Erlebnis so, wie es Theodor Fontane einst umschrieb: „Erst die Fremde lehrt uns, was wir an der Heimat besitzen."

So gesehen verliert die Stadt den ihr oft zugewiesenen Rahmen einer Provinz. Sie hat zwar – seit 1814 – ihre Rechte als Residenzstadt verloren, sie gehört nicht in die Reihe der Großstädte im Rhein-Main-Gebiet, aber sie ist mit besonderen Schönheiten ausgestattet. An ihrem Bildnis erfreuen sich auch diejenigen, die als verwöhnte

11

Weltenbummler kommen, kritisch prüfen und Vergleiche anstellen. Es gelingt nicht!

Irgend etwas gibt es, was keinen Vergleich zuläßt, irgendeine Besonderheit ist vorhanden und engt die Möglichkeiten des Abwägens ein; etwas von dem galanten und musischen Zauber vom „Fürstentum Aschaffenburg" ist bis auf den heutigen Tag geblieben und gibt dem Begriff „Erlebnis Aschaffenburg" seine Berechtigung.

Die Stadt hat immer einen unwiderstehlichen Zauber auf alle ausgeübt, die sie näher kennenlernten. Viele kamen und schrieben sich in ihr Geschichtsbuch, so wie zum Beispiel der Maler Mathias Grünewald und der Bildhauer Johannes Juncker. An so einer Stadt konnten auch die Chronisten der Neuzeit nicht vorübergehen.

In einer kulturgeschichtlichen Betrachtung befaßt sich der weitgereiste Diplomat und Kunstschriftsteller Wilhelm Hausenstein mit der Stadt, die ihn an Meran oder Bozen erinnerte:

„Man muß gewiß nicht gerade Süddeutscher sein, um den Zauber dieser Landschaft und des Schlosses, das nach Gestalt und Lage so rein mit ihr übereinstimmt, ganz und gar zu fühlen. Aber es ist doch wahrscheinlich, daß man genauer und gewichtiger empfindet, wenn man das Süddeutsche an all dem näher zu beziehen weiß. – Die menschliche Seele ist zufrieden, wo sie vom Neuen zum Vertrauten Bogen schlagen kann, und darum war es über die Maßen angenehm zu fühlen, daß der Weg von der etwas heidelbergisch anmutenden Schloßterrasse überm Mainufer zum pompejanischen Haus hinüberführen wollte, als wäre hier nicht Aschaffenburg, sondern Meran. Ich kann nicht finden, daß es ein wirklich erschließender Gedanke war, als Ludwig I. von Bayern, der letzte klassische Liebhaber dieser Stadt und Gegend, von einem ‚bayerischen Nizza' sprach; aber ich habe gefühlt, daß der Parkweg mit dem roten Sandsteingemäuer und mit Rebenlaub, mich zu stimmen wußte, als wäre ich in Meran oder in Bozen."

An der Ostseite des Schlosses liegt der Marktplatz. Der zweimal wöchentlich stattfindende Markt ist bei der Bevölkerung sehr beliebt

The market square is located on the east side of the castle. The market, which takes place twice a week, is very popular

La place du Marché s'étend à l'est du château. Le marché, qui a lieu deux fois par semaine, connaît une grande affluence

Die Geschichte der Stadt

Die Geschichte der Stadt ist noch längst nicht lückenlos erforscht. Nicht nur Heimatforscher unterzogen sich der oft mühevollen Arbeit, alte Schriften zu entziffern, vorgeschichtliche Funde zu deuten und Überlieferungen auf ihren Wahrheitsgehalt zu prüfen. Es gab Wissenschaftler genug, die sich der recht interessanten Chronik annahmen, und die schließlich den Beweis liefern konnten, daß schon Kelten und Römer das Land am Main in frühester Zeit in Besitz hatten. Der Unterlauf des Mains, etwa von Miltenberg an bis nach Hanau, bildete einst die Grenze zwischen dem freien Germanien und dem römischen Weltreich. Hier wurden Befestigungsanlagen gebaut und Kastelle angelegt; hier verlief der Limes, der mit wohldurchdachten Schutzvorrichtungen ausgestattete Grenzwall, dessen Mauerreste noch heute ein beredtes Zeugnis ablegen.

Über einen Ort „Ascapha" berichtete der anonyme Geograph von Ravenna im 7. Jahrhundert. Dieser Geschichtsschreiber übernahm Aufzeichnungen aus noch älteren Zeiten und versuchte ein Städteverzeichnis zusammenzustellen. Neueste Forschungsergebnisse belegen jedoch, daß er – wie auch in anderen belegbaren Fällen – mit der Verbindung von „Ascapha" zu Aschaffenburg einem Irrtum unterlag. Vielmehr ist der Begriff „Ascapha" dem Flüßchen Aschaff zuzuordnen. Dagegen kann man bei dem gleichen Geographen den Begriff „Ascis" lesen. Er befindet sich in einer – nordbayerischen – Städtereihe des Geographen von Ravenna. Wie häufig in derartigen Fällen, ist der letzte Buchstabe dieses Wortes als Abkürzung für einen zweiten, im allgemeinen geläufigen Namensteil anzusehen, so daß dieser Ortsbegriff als „Asciburgo" angesehen werden kann. (Dazu näher Artur Adam, Die alemannischen Städtereihen des Geographen von Ravenna, Siegen 1981, S. 35 f. u. 38). Spärlich sind die Unterlagen, aus denen die ganz frühe Geschichte der Stadt rekonstruiert werden kann, daß sie aber schon im 9. Jahrhundert urkundlich „In civitate Ascaffinburg" erwähnt wurde, beweist nicht nur, daß eine Siedlung bestand, sondern daß es sich um einen befestigten Ort gehandelt haben muß.

Archäologische Funde aus dem 7. und 8. Jahrhundert im unmittelbaren Bereich der Stadt lassen inzwischen mehr als nur Mutmaßungen über die karolingische Kultur in vielen Einzelheiten zu.

Rheinfrankens Grenzstadt

Noch vor dem Jahre 957 ist das Stift St. Peter und St. Alexander gegründet worden. Geschichtsschreiber im 12. Jahrhundert berichten übereinstimmend, daß sich in Aschaffenburg die sächsische Herzogstochter Liutgard um das Jahr 869 mit dem ostfränkischen König Ludwig III. vermählt habe. Die Königshochzeit mag ein Beweis dafür sein, daß der Stadt im politischen Gefüge jener Zeit bereits eine bedeutende Rolle zufiel.

Ludwig III. starb im Jahre 882 und wurde im Kloster Lorsch beigesetzt. Liutgard starb 885 und fand in der Stiftskirche ihre letzte Ruhestätte. Urkundlich wurde Aschaffenburg im Jahre 974 zum ersten Mal genannt. Damals schenkte der deutsche Kaiser Otto II. seinem Neffen, dem Herzog Otto von Schwaben und Bayern, das Kollegiatstift Sankt Peter und Alexander, das von dessen Eltern, dem Herzog Liudolf von Sachsen und seiner Gemahlin, gegründet worden war. Der Kirche, Begräbnisstätte hochgestellter Persönlichkeiten, wurden wertvolle Besitzungen übereignet. Zu dieser Zeit wurde der Grundstein für eine kirchenrechtliche Institution gelegt, die jahrhun-

In dieser Urkunde von 1184 läßt sich das Stift sein Besitztum von Papst Lucius III. (1181–1185) bestätigen

In this scroll from 1184 the property of the Stift is certified by Pope Lucius III (1181–1185)

Par ce document de 1184, le pape Lucius III (1181–1185) confirme les possessions du chapître d'Aschaffenburg

dertelang maßgebend das politische Leben der Stadt bestimmen sollte.

Der Vertraute der deutschen Kaiserdynastie war damals der Erzbischof und Kurerzkanzler Willigis in Mainz. Als Herzog Otto während eines Feldzuges gegen die Sarazenen im Jahre 982 in Lucca in Italien gestorben war, wurde sein Leichnam nach Aschaffenburg überführt. Erzbischof Willigis kam zu den Begräbnisfeierlichkeiten in die Stiftskirche der Stadt. Zu gleicher Zeit schenkte der Kaiser seinem Kanzler, der sich um Neuordnung und organisatorischen Aufbau seines Bistums verdient gemacht hatte, die Stadt und das Stift Aschaffenburg. Das Erzbistum Mainz bekam ein neues Territorium, das ihm bis in das 19. Jahrhundert hinein bleiben sollte. Als geistliches Territorium, geleitet von einem Erzbischof, der im Laufe der Jahrhunderte auch die weltliche Gewalt über sein Land besaß und mit dessen Amt die Würde des Reichserzkanzlers verbunden war, war dieses Kurfürstentum Mainz ein Land, das eine besondere Stellung im deutschen Reich einnahm und das vom Jahre 1000 an zwar von Mainz aus regiert wurde, das aber mit Aschaffenburg eine zweite Residenz besaß, deren Bedeutung ständig zunahm.

Aschaffenburg war „Rheinfrankens Grenzstadt gegen Ostfranken", wie mehrfach in Chroniken vermerkt ist, und daß gerade dieser Stadt, der an einer Grenze eine wichtige Funktion zukam, die besondere Fürsorge der Mainzer Kurfürsten zuteil wurde, ist verständlich. Was Erzbischof Willigis begonnen hatte, führten seine Nachfolger fort. Wenige Jahre nach dem Bau der ersten Brücke über den Main ließ Kurfürst und Erzbischof Adalbert I. von Saarbrücken die Stadt im frühen 12. Jahrhundert befestigen. Nicht nur die Meinungsverschiedenheiten des Kirchenfürsten mit Kaiser Heinrich V. waren der Anlaß, die Stadt am Main wehrhaft auszubauen, um sie bei Gefahr gegenüber kaiserlichen Truppen verteidigen zu können, sondern der für die Freiheit der Kirche mutig eintretende Fürst sah in Aschaffenburg schon da-

mals eine Stadt, die alle Voraussetzungen bot, zu einer Residenz ausgebaut zu werden. Die kleinen Häuser der Bürger verschwanden hinter wehrhaften Mauern. Bollwerke und Türme entstanden, die Zufahrtsstraßen wurden mit mächtigen Torwerken gesperrt, und die Wallanlagen waren so stark, daß sie weit in das 18. Jahrhundert hinein als Festungsteile genutzt werden konnten.

Die Bürger liebten keine kriegerischen Auseinandersetzungen. Sie nützten das Wohlwollen der Mainzer Fürsten und setzten sich für den Ausbau von Handel und Gewerbe ein. Es entstanden die ersten aus Stein gebauten Häuser; Straßen wurden verbreitert, Entwässerungsgräben gezogen. Die enge Verbindung des Mainzer Hofes zur Stadt kam auch den Künstlern zugute, die vor allem die Stiftskirche schmuckvoll im Stil der Frühgotik ausgestalteten.

Fürstenversammlungen in der Stadt

Die günstige Lage der Stadt inmitten der Mainzer Kirchenprovinz, schließlich auch die räumlichen Voraussetzungen, die im Kollegiatstift anzutreffen waren, erlaubten es, in der Stadt größere Provinzialsynoden abzuhalten. Zu der Mainzer Synode unter Erzbischof Gerhardt II. von Eppstein kamen die Bischöfe von Worms, Speyer, Würzburg, Bamberg, Eichstätt, Augsburg und Hildesheim. Die „Aschaffenburger Fürstenversammlung" im Sommer 1447 besuchten gleichfalls zahlreiche Würdenträger; darunter war auch Enea Silvio Piccolomini, der spätere Papst Pius II. Damals wurden bedeutende Gesetze verabschiedet, die sich in der Folgezeit auf die kirchliche Entwicklung auswirken sollten, und das „Wiener Konkordat" vorbereiteten, das später dem Papst größere Rechte im deutschen Kirchenleben einräumte. Im 16. Jahrhundert war es Kurfürst und Kardinal Albrecht von Brandenburg (1514−1545), der sich der Stadt in besonderer Weise annahm. Der vornehme Kirchenfürst, der in einer poli-

Zeichnung von Veit Hirschvogel von 1540. Diese Abbildung ist die einzige bekannte Darstellung des alten gotischen Schlosses aus der Zeit Kardinal Albrechts von Brandenburg

This drawing by Veit Hirschvogel from 1540 is the only known picture of the former gothic castle

Ce dessin de Veit Hirschvogel (vers 1540) est la seule reproduction connue à ce jour de l'ancien château gothique

tisch revolutionären Zeit regierte und sich mit den Thesen Martin Luthers auseinandersetzen mußte, zog sich gerne in die stille Residenz Aschaffenburg zurück, wo er sich seinen künstlerischen Neigungen mehr widmen konnte als in Mainz. Er förderte Kunst und Künstler, holte die Maler Lukas Cranach und Mathias Grünewald an seinen Hof und übereignete der Stiftskirche bedeutende Kunstschätze. Als sich jedoch im Bauernkrieg im Jahre 1525 die Bürger der Stadt mit den Aufständischen verbündeten und den Soldaten des Götz von Berlichingen – sicher aus gutem Grund – Burg und Stadt kampflos übergaben, schickte der erzürnte Kurfürst Truppen des Schwäbischen Bundes, um die Stadt für sich zurückzuerobern. Rechte und Privilegien der Bürger wurden beschnitten. Dennoch kam der Kurfürst wieder in die Stadt zurück und war auch be-

reit, den Bürgern ihre alten Rechte wieder einzuräumen. Denn Halle an der Saale, wo er während des Bauernkrieges weilte, hatte die Reformation angenommen, Aschaffenburg aber war dem alten Glauben treu geblieben.

Die Stadt wurde im Schmalkaldischen Krieg weitgehend zerstört. Truppen des Grafen von Oldenburg kamen 1547 und brandschatzten die Stadt. Fünf Jahre später plünderten Soldaten des Markgrafen Albrecht Alcibiades von Brandenburg-Kulmbach die Burg der Stadt, die – wie Chronisten bekunden – eine herrliche Reichskanzlei gewesen sei und zahlreiche Kunstwerke beherbergt habe. Die Stadt hatte ihren Glanz, aber auch ihre Mitte verloren. Das „Sic transit gloria mundi", das an die Vergänglichkeit des Irdischen erinnert, wurde in ihre Chronik geschrieben.

16

Viele Hoffnungen der Bürger wurden zerstört; die Stadt am Main blieb für lange Zeit eine Stadt ohne Schönheit und hatte ihre Bedeutung als Residenzstadt eingebüßt. Unter Kurfürst Daniel Brendel von Homburg wurde in der zweiten Hälfte des 16. Jahrhunderts zwar ein Notbau für die zerstörte Burg errichtet, aber die finanziellen Möglichkeiten waren eingeschränkt. Nicht annähernd konnte das neue Bauwerk mit der alten Burg verglichen werden. Erst unter Kurfürst Johann Schweickard von Kronberg begann im frühen 17. Jahrhundert eine Blüteperiode für die Stadt. Als Schweickard von Kronberg zum Kurfürsten gewählt wurde, versprach er in seiner Wahlkapitulation, das Aschaffenburger Schloß wieder aufzubauen. Zielstrebig setzte er sich für sein Versprechen ein und führte seinen Plan konsequent zu Ende.

Als das gewaltige Schloß vollendet war, soll er mehr als einmal bedauert haben, daß für die Bürger die Baulasten zu hoch gewesen seien. Noch im Testament beschäftigte sich der fürstliche Bauherr mit seinem Schloß und äußerte, „wohl solchen Bau hernach lieber etwas eingezogener" zu erstellen, wenn er noch einmal vor die Aufgabe gestellt werden sollte, ein fürstliches Schloß zu bauen.

Ruine der Kirche zum Heiligen Grab (1543–1544). Kardinal Albrecht von Brandenburg stiftete an dieser Stelle ein Kloster für den Pflegeorden der Beginen. Wenige Jahre später wurden das Kloster und die Kirche im Markgräflerkrieg niedergebrannt und zerstört

The ruin of the church "Zum Heiligen Grab" (built 1543–1544) in Schoental park. A convent of the order of the Beginians was located here, which shortly afterwards was destroyed during the Markgraefler war

Ruines de l'église du Saint-Sépulcre (1543–1544) dans le parc de Schöntal. A cet endroit s'élevait un couvent de Béguines, religieuses hospitalières. Ce couvent n'a pas tardé à être détruit au cours de la guerre contre le margrave de Brandenburg-Kulmbach

Das prächtige Wappen des Erbauers des neuen Schlosses Johannisburg, Kurfürst Johann Schweickard von Kronberg wurde 1607 in die große Terrassenmauer eingelassen. Das Mainzer Rad – hier deutlich erkennbar – ist Bestandteil der Wappen aller Kurfürsten von Mainz.

The coat of arms of the Elector Johann Schweickard von Kronberg, the builder of the castle. The Wheel of Mainz is found in all coats of arms of the Electors of Mainz.

Armes du Prince-Electeur Johann Schweickard von Kronberg qui fit construire le château. La »roue de Mayence« fait partie des armes de tous les princes-électeurs de Mayence.

Ein derartiger Auftrag war nicht mehr zu erfüllen. Das entstandene Werk fand weder Ähnliches, noch konnte es überboten werden. Es war ohne alle Einschränkungen ein Zeugnis der Größe und der Macht des Kurfürstentums. Dies bekundeten alle, die als Gäste gekommen und im Schloß empfangen wurden. Als am 19. September 1619 der neugewählte Kaiser Ferdinand II. mit glanzvollen Zeremonien begrüßt und sein Hofstaat fürstlich bewirtet wurde, schien auch für die Bürger, die dieses Ereignis miterlebten, die Zukunft sicher und ohne Schatten. Der Krieg, der später als der Dreißigjährige in die Geschichte eingehen sollte, hatte zwar schon begonnen, aber wer hatte die Macht, gegen Kaiser und Kurfürst seine Waffen zu erheben und eine Stadt, die sich so gastfreundlich gab, zu vernichten?

Man wähnte sich in Sicherheit. Der Kurfürst selbst gab Garantien, und sein Wahlspruch, den er auf Münzen prägen ließ, klang wie ein Vermächtnis, dem eine Spur Hoffnung beigemischt war: „Sub umbra alarum tuarum". – Unter dem Schatten deiner Flügel. Dem Kurfürsten blieb es erspart, den Krieg in seinen schrecklichen Formen zu erleben. Er starb am 17. September 1626. Sein Herz wurde in der Jesuitenkirche, deren Bau er veranlaßt hatte, beigesetzt. Sein Leichnam wurde im Mainzer Dom bestattet.

Der Schwedenkönig Gustav Adolf

Im Winter 1631 kamen die schwedischen Truppen und mit ihnen Leid und Not. König Gustav Adolf nahm von Stadt und Schloß Besitz. Von dem Ereignis der Stadtübergabe an den schwedischen König berichtet eine Chronik, die im Kapuzinerkloster aufbewahrt wird:

„Am 25. November 1631, am Feste der heiligen Katharina, näherte sich der Schwedenkönig Gustav Adolf mit seinen Truppen der Stadt Aschaffenburg und erfüllte die Bürger mit unsäglicher Furcht und Bangigkeit. Nachdem man sich lange beraten, wie man dieses furchtbare Ungewitter von der Stadt abwenden könne, kam man auf den Gedanken, an Pater Guardian Abgeordnete zu senden und ihn zu bitten, er möchte mit den angesehensten Ratsherren dem König entgegengehen, ihm zum Zeichen der Huldigung die Schlüssel der Stadttore überreichen, seine Huld anflehen und Altar und Herd der königlichen Macht anheimstellen.

Dieser Vorschlag gefiel um so mehr, da sich die Patres Capucini bei diesen Bedrängnissen schon so tätig erwiesen haben. Denn da groß und klein die Flucht ergriffen hatte, selbst die Stiftsherren und Jesuiten die Stadt verließen, waren die Kapuziner der einzige Trost der Stadt. Man verfügte sich nun alsbald zum Pater Guardian und trug ihm das Resultat der Beratungen vor. Dieser ward über die Nachricht betroffen, erwog die Schwierigkeit der Sache und zauderte anfangs ein wenig, endlich aber entschloß er sich dazu und ging sogleich, denn es war schon gegen Abend, auf Gottes Beistand vertrauend mit den Abgeordneten vor das Tor der Mainbrücke hinaus, warf sich vor dem Könige auf die Erde nieder und bat mit ernsten, aber demütigen Worten für die Bürger um Schonung. Als er geendet hatte, sprach der König zu ihm: Stehe auf und bete deinen Gott an. Er staunte, lächelte über den Anzug eines solchen Stadtregenten und fragte ihn: Wo wohnst du und wo ist dein Haus? Der Kapuziner zeigte mit seiner Hand auf das Kloster hinüber und sprach zum König: Ich will Ew. Majestät alles zei-

gen und alles wird sich so in Wahrheit befinden. Gustav erwiderte: Ich werde bei dir einkehren, und entließ ihn samt den Ratsherren mit der Zusicherung seiner Gnade, zog in die Stadt ein und nahm in dem kurfürstlichen Palast seine Wohnung."

Nach dem Bericht der Zeitgenossen war Gustav Adolf von der Pracht des Schlosses überrascht. Dem Guardian der Kapuziner sagte er, am liebsten würde er dieses Schloß nach Schweden mitnehmen. Pater Bernhard antwortete ihm schlagfertig, er brauche eigentlich nur für die Bespannung zu sorgen, die Räder zum Transport seien reichlich vorhanden. Er deutete auf das Mainzer Rad, das auf zahlreichen Wappen am Schloß zu finden ist.

Im Oktober 1648 wurde in Münster der „Westfälische Friede" unterzeichnet. Unter

„Das Churf. Maintzische Residentz-Schloss". – Kupferstich von Matthäus Merian, Frankfurt 1646.

"Das Churf. Maintzische Residentz-Schloss" Copper plate engraving by Matthäus Merian, Frankfurt 1646.

»Le château, résidence des princes-évêques de Mayence«, gravure sur cuivre de Matthäus Merian, Francfort 1646.

19

Aschaffenburg um 1800. Ölgemälde eines unbekannten Malers (Privatbesitz)

Aschaffenburg around the year 1800. Oil painting by an unknown painter (private property)

Aschaffenburg vers 1800. – Peinture à l'huile anonyme. (Coll. part.)

den Vertretern der Reichsstände war ein Aschaffenburger Stadtschultheiß: Nikolaus Georg von Reigersberg. Als kurfürstlicher Kanzler war er in Vertretung des Kurfürsten Johann Philipp von Schönborn gekommen, um seinen Namen unter die Urkunden zu setzen, die den Krieg beenden und die Grundlagen für eine neue, friedliche Zeit schaffen sollten. Trotz der so gutgemeinten Zusicherungen hatte der Frieden keinen Bestand. Die Feldzüge Ludwigs XIV. erschütterten den Mainzer Staat.

Um die Mitte des 18. Jahrhunderts begann der Österreichische Erbfolgekrieg. König Georg II. von Großbritannien war mit dem sogenannten Pragmatischen Heer aus den Niederlanden in die Stadt gekommen. Kaiser Karl VII., unter dessen Befehl auch Franzosen kämpften, ließ sein Heer in der Mainebene aufmarschieren, um den Engländern den Weg nach Westen zu versperren. Es kam zur Schlacht bei Dettingen. Die Franzosen wurden geschlagen. Das „Dettinger Tedeum", von Georg Friedrich Händel komponiert, erinnert noch heute an diesen sinnlosen Krieg.

Die Zeit der Aufklärung

Erst gegen Ende des 18. Jahrhunderts begann eine Zeit der Selbstbesinnung und des Friedens. Mainz war wieder Hauptstadt des Kurstaates. Kurfürst Lothar Franz von Schönborn (1695–1729) war Kurfürst von Mainz und Fürstbischof von Bamberg. In der Mitte seines Imperiums lag Aschaffenburg und wurde zu einem Regierungssitz ausgebaut. Kurfürst Friedrich Karl Joseph

20

von Erthal (1774−1802) übernahm das Erbe, und es entstand ein Kulturzentrum außergewöhnlicher Prägung. Als nach der französischen Revolution der kurfürstliche Hof im Jahre 1792 Mainz wegen der nach Osten vordringenden Truppen verlassen mußte, wurde Aschaffenburg Residenzstadt des Mainzer Erzstiftes. Zwar blieb die Stadt von den Kriegsereignissen nicht verschont, aber es hatte sich hier, dank der klugen und vorausschauenden Politik Erthals, eine Enklave gebildet, die stark genug war, allen Anfeindungen zu widerstehen und die sogar von Napoleon akzeptiert wurde. Das langsame und mit Bedacht in die Tat umgesetzte Konzept friedlicher Koexistenz zahlte sich aus. Mit dem kurfürstlichen Hof waren die Gemäldegalerie, eine umfangreiche

Bibliothek und zahlreiche andere Kunstschätze nach Aschaffenburg gekommen. Es fanden aber auch kurfürstliche Beamte mit ihren Familien in der Stadt eine zweite Heimat, und sie brachten nicht nur die rheinische Fröhlichkeit und den nie versiegenden Optimismus in die etwas altertümliche Stadt, sondern auch Geist und Kultur, Ideen der Aufklärung, Charme, Freundlichkeit und etwas Galanterie, so daß in dem immer mit Mainz verbundenen Aschaffenburg neue Impulse für ein kulturelles Leben freigesetzt wurden. Friedrich Karl Joseph von Erthal, der viele Neuerungen und Verschönerungen in Aschaffenburg durchführen ließ, starb am 25. Juli 1802 im Schloß. In der Stiftskirche wurde er begraben. Sein Erbe übernahm Karl Theodor von Dalberg.

In den engen und verwinkelten Gassen der Altstadt um die Dalbergstraße finden sich stets überraschende Blickfänge mit alten Fachwerkhäusern. Die erheblichen Kriegsschäden wurden durch umfassende Restaurierungsmaßnahmen beseitigt

The old part of the city around Dalbergstrasse. The extensive war damages underwent overall restorations

La vieille ville aux alentours de la Dalbergstraße. Les graves dommages causés par la guerre ont pu être réparés grâce à d'importantes mesures de restauration

Das Fürstentum Aschaffenburg

Dem Reichsfreiherr Karl Theodor von Dalberg war es zu verdanken, daß ein letzter Rest von Kurmainz auch in der napoleonischen Zeit eine Daseinsberechtigung erhielt. Die Wiederherstellung des alten Mainzer Kurstaates indes war illusorisch. Mainz war seit 1797 eine Stadt der französischen Republik. Vom alten Erzstift blieb nur das sogenannte „Obere Stift" mit den Städten Aschaffenburg, Lohr, Orb, Klingenberg, Prozelten und Aura im Sinngrund übrig, etwa 25 Quadratmeilen groß, ein Staat, den Dalberg als sein Eigentum betrachten durfte.

Am 12. Juli 1806 wurde die Rheinbundakte unterzeichnet, und Karl Theodor von Dalberg setzte in Paris seine Unterschrift unter die Urkunden, widerstrebend zwar, dennoch auf ein gutes Gelingen seiner Pläne hoffend, denn der Kaiser hatte ihm den Titel „Fürstprimas des Rheinischen Bundes" verliehen.

Mit besonderer Liebe und Fürsorge widmete sich Dalberg dem kulturellen Aufbau seines Landes und setzte sich vor allem für die Modernisierung Aschaffenburgs ein. Die Enge der kleinbürgerlichen Altstadt wurde gesprengt. Die reitende und fahrende Post wurde ausgebaut, und im Jahre 1812 bestanden bereits zahlreiche regelmäßige Verbindungen zwischen Aschaffenburg und seinem Umland.

Die „Residenz Aschaffenburg" wurde eine Hochburg des Geistes. Görres, Johannes von Müller, Achim von Arnim, Brentano und Ludwig Tieck wurden als Gäste empfangen. Gelehrte von Rang und Namen kamen an die von Mainz nach Aschaffenburg übergesiedelte Universität, darunter Karl Josef Hieronymus Windischmann, Friedrich Schlegel, Zacharias Werner und Niklas Vogt, der Begründer des Rheinischen Archivs für Geschichte und Literatur. Auch die Kirchengeschichte des frühen 19. Jahrhunderts weist zahlreiche Namen von Gelehrten auf, die sich in dem geistigen Klima Aschaffenburgs wohlfühlten. Friedrich

Clemens Brentano. Christian Friedrich Tieck schuf diese Büste im Jahre 1803

Clemens Brentano, poet of the romantic movement. Christian Friedrich Tieck formed this bust in 1803

Clemens Brentano, le poète romantique. Ce buste de l'année 1803 est l'œuvre du célèbre écrivain et artiste Christian Friedrich Tieck

Schiller war mehrmals Gast Dalbergs und widmete seinem Gönner das Schauspiel „Wilhelm Tell".

Napoleon ließ dem Fürstentum Aschaffenburg – und damit zusammenhängend auch dem Großherzogtum Frankfurt – eine politische und kulturelle Freiheit, wie sie keinem anderen Land jener Zeit zuteil geworden ist. Dalberg verwaltete dieses Geschenk mit einer selbstlosen Souveränität.

Bald aber fiel ein Schatten auf das Land. Der siegestrunkene Korse, der sich vorgenommen hatte, noch weitere Länder zu erobern, brauchte Soldaten. Der Rheinbund gab ihm die Möglichkeit, so viele Rekruten einzuberufen, wie benötigt wurden. Die Bürger waren entrüstet, als sie immer neue Kriegsproklamationen lasen. Sie protestierten, aber der Protest war vergeblich. Vergeblich war auch die Streitschrift des Aschaffenburger Bürgers Dr. Steiger, der mit einigen anderen Sinnesgenossen den Fürstprimas überreden wollte, gegen Napoleon aufzutreten und die Kriegsproklamationen zu verbieten. In der Schrift, die als Beweis für die Friedensliebe der Aschaffenburger Bürger angesehen werden kann, heißt es: „Ist es etwa das sicherste Mittel den Menschen auszubilden, daß man ihn als Soldat hinstelle, so daß nichts mehr zu wünschen wäre, als daß die ganze Nation Soldat würde? Ein Gedanke, vor dessen Realisierung wir nun allerdings nicht mehr sicher

sind, der aber auch zu den fürchterlichsten unter allen Gedanken gehört!" Der Wille zum Frieden allein genügte nicht. Wenn Usurpatoren die Weltgeschichte zu lenken versuchen, ist das Chaos vorprogrammiert.

Im Jahre 1809 kämpften Soldaten aus dem Fürstentum in Österreich, und im Sommer 1812 marschierten junge Rekruten von Aschaffenburg aus über Kassel und Göttingen nach Hamburg. Dort wurden sie in die große Armee eingereiht, die im September 1812 nach Rußland zog. Langsam erlosch Napoleons Stern. Es kam das Unglücksjahr 1813. Im Kampf gegen die Alliierten standen Soldaten aus dem Fürstentum zwar immer noch an der Seite der Franzosen, aber ihr Einsatz für die fragwürdig gewordenen Ziele war vergeblich. Napoleon wurde bei Leipzig geschlagen, die Verbündeten besetzten das von Dalberg verwaltete Land.

Dalberg, von den sich überstürzenden

Aschaffenburg vom Ziegelberg aus. Stahlstich von J. J. Tanner, Frankfurt, 1. Hälfte des 19. Jahrhunderts

Aschaffenburg. Steel engraving early 19th century

Aschaffenburg, gravure sur acier, première moitié du XIXᵉ siècle

Ereignissen erschüttert, verließ Aschaffenburg, reiste zu einem Freund nach Konstanz und von da aus in die Schweiz.

Die Ministerialkonferenz ernannte später Philipp von Hessen-Homburg zum Generalgouverneur. Am 14. Dezember 1813 wurde die alte Verfassung wieder verkündet. Aschaffenburg verlor seinen Rang als Residenzstadt, Frankfurt wurde wieder eine freie Stadt, die einzige politische Verbindung, die jemals zwischen diesen beiden Städten bestand, wurde durchtrennt. Das Großherzogtum Frankfurt und das Fürstentum Aschaffenburg hatten aufgehört zu bestehen. Alle Einrichtungen und Institutionen, die das eindeutige Gepräge napoleonischer Anordnungen trugen, auch die Universität in Aschaffenburg, wurden aufgelöst.

Dalberg war mittellos geworden. Der König von Bayern gestattete ihm später, seinen Wohnsitz in Regensburg zu nehmen.

In den letzten Jahren seines Lebens zehrte Dalberg von den Erinnerungen an die Primatialzeit. Noch kurz vor seinem Tod dachte er an seine ehemalige Residenzstadt und diktierte – am 10. Februar 1817 – seinen letzten Wunsch, in dem festgelegt wurde, daß sein Herz nach Aschaffenburg gebracht werden solle, sein Leichnam nach Mainz. Der Wunsch wurde erfüllt. In einer silbernen Monstranz verschlossen, wird Dalbergs Herz in der Stiftskirche der Stadt aufbewahrt.

Die Napoleon-Hörigkeit Dalbergs wurde von vielen Zeitgenossen angeprangert. Das Verhalten des Großherzogs im politischen Spiel der Zeit wurde einem Verrat an der deutschen Sache gleichgestellt. In der Rückblende aber verlieren die Anschuldigungen etwas von ihrer Schärfe. Dem Fürstprimas war es nicht darum zu tun, mit kriegerischen Proklamationen hervorzutreten. Er sah im abgegrenzten Bereich eines Kleinstaates die besten Voraussetzungen für ein freies Leben ohne Krieg, Haß und Neid. Die Stadt konnte sich auf ihre Traditionen besinnen und ihren eigenen Charakter zeigen. Dieser ging verloren, als das von Mainz eingewanderte Bürgertum allmählich ausstarb, als neue Bürger von überall her in die Stadt drängten und als das Mainzer Erbe zwar bewundert, aber nicht mehr mit neuen Ideen bereichert werden konnte.

Die bayerische Stadt

Aschaffenburg ist eine Stadt an der Grenze, nicht nur geographisch bedingt. Sie gehört seit 1814 zu Bayern. Bayerns Könige versuchten vieles, um ihr ebenfalls Glanz und Reichtum zu geben. König Ludwig I. besuchte mehrmals die Stadt und ließ unweit vom Schloß ein „Pompejanum" bauen. Später kam der Prinzregent Luitpold und wurde von der Bevölkerung freudig begrüßt. 1897 war er begeisterter Gast beim Kaisermanöver, und kriegerische Proklamationen waren nicht zu überhören.

Den Ersten Weltkrieg überstand die Stadt ohne äußere Schäden. Im Zweiten Weltkrieg wurde sie jedoch infolge mehrerer Luftangriffe seit 1940 und durch Artilleriebeschuß im Jahre 1945 systematisch zerstört. Das Schloß, ihr schönstes Baudenkmal, brannte nieder. Alles wurde wieder aufgebaut, mit einer Sorgfalt ohnegleichen. Dr. Max Guther, ein Städteplaner aus Darmstadt, fertigte – nach modernen architektonischen Richtlinien – einen Plan für Wiederaufbau- und Erweiterungsmaßnahmen. Kurfürstliche Anordnungen aus alter Zeit hatten längst ihre Gültigkeit verloren. Enge Grenzen der Stadt wurden gesprengt, die weite Ebene gegenüber dem Schloß am linken Mainufer als Baugebiet für ein Schulzentrum erschlossen.

Als die Stadt ein neues Rathaus benötigte, zeichnete Professor Diez Brandi aus Göttingen im Rahmen eines Wettbewerbs ein modernes Bürogebäude und schuf – mit der Ausführung beauftragt – in den Jahren von 1956 bis 1959 einen mächtigen, rotsandsteinverkleideten Betonblock, der wie ein überdimensionaler Grenzstein inmitten der Altstadt liegt und einen interessanten Gegensatz zur Stiftskirche bildet.

Trotz der vielen modernen Bauten, die nach dem Krieg entstanden sind – Kirchen, Siedlungen, Schulen –, ist in der Altstadt noch der Zauber vergangener Epochen spürbar. Dort begegnet man noch der Romantik erlebter, nur der Erinnerung zugehöriger Zeiten. Man findet noch Fachwerkhäuser, uralt, zerknittert von der Last der Jahre, mit hohen, steilen Ziegeldächern, die wie braune Kapuzen über frierende Ohren gezogen sind. Noch immer ist das Mainzer Rad als Symbol und Wappen überall zu finden, ziert die Wetterfahnen auf den Türmen des Schlosses und hat sich nicht verdrängen lassen.

Die Stadt öffnet sich nach Westen, und die Industrie liebäugelt gerne mit dem Rhein-Main-Ruhr-Gebiet. Die Autobahn hat die Verbindung mit Würzburg, Nürnberg und München wesentlich erleichtert. Wenn die Stadt auch im Einzugsbereich des Rhein-Main-Flughafens Frankfurt liegt und von Frankfurt aus viele Informationen für den Export ihrer Erzeugnisse bezieht, so ist sie sich dennoch bewußt, Grenzstadt Bayerns zu sein.

Die moderne Zeit, die Fabriken, die Kaufhäuser, die Banken und die Bürosilos der Verwaltung haben ihren Charakter nicht ändern können. Sie hat sich ein gut Teil ihrer altertümlichen Kulisse bewahrt. Es gibt noch fachwerkverzierte spitzgieblige Häuser, denen die Stürme der Jahrhunderte nichts anhaben konnten. Es gibt schmale Gassen, von denen aus Stufen zu den Hausportalen und Treppen in die Weinkeller führen, es gibt noch „Fischergässer" und all die gemütlichen Leutchen, die von den Zeiten zehren, da die Stadt eine Forsthochschule besaß und Forststudenten hier ihre übermütigen Streiche, mit bürgerlicher Duldsamkeit gestattet, inszenieren konnten. Wer das Gefühl für Tradition und Altväterart, für Sitte und Brauch nicht ganz im modernen Zeitalter verloren hat, der wird noch manches Bildnis entdecken, das verzaubern kann. Viele kommen immer wieder in die Stadt ihrer Jugend zurück, andere, die sie kennengelernt haben, besuchen sie, so oft es möglich ist. Dichter beschreiben ihre Schönheit, Maler künden ihre Farben. Die Stadt lebt aus ihren Traditionen für die Zukunft.

Als Stadt an der Grenze hat sie im europäischen Wirtschaftsraum eine besondere Bedeutung, als Bindeglied zwischen Bayern und Hessen eine wichtige Funktion. Sie bleibt eine alte Stadt, deren Ruhm ihre Geschichte ist, sie ist aber dennoch modern und dem Kommenden zugewandt, weil sie es immer verstanden hat, die Vergangenheit in die Gegenwart zu retten und für die Zukunft zu bewahren.

Das kubische Rathaus von Professor Diez Brandi bildet in direkter Nachbarschaft zur Stiftskirche einen interessanten Kontrast. In seinem Lichthof zeigt eine moderne astronomische Uhr den Stand von Sonne, Mond und der Tierkreiszeichen an.

City Hall built by professor Diez Brandi 1956–1958. A modern astronomical clock showing the sun, the moon and the signs of the zodiac is located in the patio.

L'Hôtel de Ville, édifié (1956–1958) par le Prof. Diez Brandi. Dans le grand hall, il y a une horloge astronomique moderne avec le soleil, la lune et les signes du zodiaque.

Das alte Aschaffenburger Schloß, 14. Jh., nach Veit Hirschvogel

The old Aschaffenburg castle in the 14th century. Painting based on the drawing by Veit Hirschvogel

L'ancien château d'Aschaffenburg (XIVᵉ siècle), peinture d'après le dessin de Veit Hirschvogel

28

Zeugen der Vergangenheit

Zahlreiche Bauten aus alter Zeit erzählen die Geschichte der Stadt. Kunstgegenstände aus den verschiedensten Jahrhunderten berichten vom Fleiß und Können der Bürger. Die Stadtchronik ist eng mit der alten Burg und dem Schloß verbunden. Das um 957 gegründete Kollegiatstift St. Peter und Alexander bedurfte allein schon seiner äußeren Sicherheit wegen einer wehrhaften Anlage, von der aus eine Verteidigung des mit Kunstschätzen reich ausgestatteten Stiftes möglich war. Erzbischof Adalbert I., der die Stadt befestigen ließ, veranlaßte um 1122 den Neubau einer Burg, die im 13.

Jahrhundert mit Vorwerken, Gräben und Tortürmen verstärkt worden ist. Weitere Umbauten erfolgten in der ersten Hälfte des 14. Jahrhunderts. Es entstand der Bergfried, der alle Zeiten überdauert hat. Noch heute beeindruckt das mittelalterliche Relikt im Innenhof des Schlosses die Betrachter. Im Bauernkrieg wurden Stadt und Burg von den Aufständischen erobert und besetzt. Die Zerstörungen hielten sich jedoch in Grenzen. Die türmereiche Burg blieb unangetastet. Veit Hirschvogel, der bekannte Chronist seiner Zeit, zeichnete die Burg mit ihren zierlichen Erkern und spitzgiebeligen

Blick vom Rathaus auf das Schloß. Die geometrische Harmonie der vier Schloßflügel und Türme wird von dem mächtigen Bergfried unterbrochen, der einzige Rest des alten, im Jahre 1552 zerstörten, gotischen Schlosses. Rechts im Vordergrund der Turm der evangelischen Christuskirche

View from City Hall to the castle. The protestant Christuskirche to the right

Le château vu de l'Hôtel de Ville. Au premier plan à droite, la Christuskirche, temple protestant

Dächern sowie den trutzigen Bergfried. Die Zeichnung, einem feinziselierten Schmuckband gleichend, macht deutlich, daß Burg und Stift eine Einheit darstellten, in der weltliche wie auch geistliche Belange untrennbar schienen und somit gemeinsam vertreten wurden: Das Kreuz auf der Turmspitze der Stiftskirche überragt die kleinen Wetterfahnen auf den Burgtürmchen. Das von Hirschvogel mit liebevoller Sorgfalt zeichnerisch festgehaltene Idyll zerbrach 1552, nachdem die Truppen des Markgrafen Albrecht Alcibiades in die Stadt einmarschiert waren; die Ausmaße ihrer Verwüstungen sind kaum beschreibbar. Die Stadt wurde zerstört, die Burg brannte nieder. Nur der Bergfried blieb stehen.

Das Schloß Johannisburg

Nach etwa einem halben Jahrhundert verpflichtete sich Kurfürst Johann Schweikkard von Kronberg, das zerstörte Schloß wieder errichten zu lassen. Die Zeiten hatten sich geändert. Eine mittelalterliche Befestigungsanlage war nicht im Sinne des im Germanicum in Rom erzogenen Fürsten, der einem neuen Weltbild zugetan war. Zwar waren mittelalterliche Gepflogenheiten noch nicht vollständig ausgeräumt, der Glaube an Hexenwahn und teuflische Bedrängnisse nicht zu Ende, aber das Gefühl für Humanität und geistige Profilierung war in vielen Bereichen vorherrschend, so daß neue Gemeinschaftsnormen entwickelt werden konnten. Der Kurfürst beauftragte den Straßburger Baumeister Georg Ridinger mit der Planung für eine neue Reichskanzlei und verlangte, dem Bauwerk eine klare, dem Zeitgeschmack entsprechende Form zu geben. Der damals noch unbekannte Baumeister, von dem auch heute noch nicht bekannt ist, welche Bauten er außer dem Aschaffenburger Schloß noch ausgeführt hat, akzeptierte die Ideen seines Auftraggebers, ging aber über dessen Grundkonzept weit hinaus. Ridinger hatte keine Burg gezeichnet, sondern ein mächti-

ges Schloß. Von den Plänen begeistert, beauftragten der Kurfürst und sein Domkapitel den Baumeister mit der Ausführung. Ridinger ließ hohe Mauern aus schweren Quadersteinen – vor allem an der Mainseite – errichten, um dem Untergrund die nötige Stärke zu geben. Er dachte an Wasserleitungen und Entwässerungsgräben, bevor – etwa im Jahre 1608 – der eigentliche Schloßbau begann. Vor den staunenden Bürgern vollzog sich ein technisches Wunder, das vielen unfaßbar schien. Gespanne und Frondienste der Bürger mußten in Anspruch genommen werden, aber niemand schien sich dagegen aufgelehnt zu haben. Das geduldige Warten auf die Vollendung des Schlosses glich einer Herausforderung, die sich jeder Bürger auf seine Art zunutze machte. Wetten wurden abgeschlossen, Maurer und Steinmetze über ihre Arbeit befragt, der Baumeister wie ein Fürst mit Hochachtung und Respekt begrüßt. Es ent-

Schloßansicht von der Erthalstraße. Im Zusammenhang mit dem Tunnelbau, in den die Straße nach links mündet, wurde 1984 die seit dem 2. Weltkrieg zugeschüttete Bastion vor dem Ostflügel des Schlosses wieder freigelegt

View of the castle as seen from Erthalstrasse

Le château vu de l'Erthalstraße

Die kurfürstlichen Räume im Westflügel des Schlosses. – Unter Kurfürst Erthal wurden die Räume im klassizistischen Stil umgestaltet. Das originale Mobiliar konnte im 2. Weltkrieg gerettet werden. Die Wandtapete aus Lyoner Damastseide wurde nach vorhandenen Originalkartons restauriert. Die Abbildung zeigt das Gesellschaftszimmer des Kurfürsten mit einer Uhr von David Roentgen (1790)

The residential rooms in the west wing of the castle. The rooms were changed to classic style under Elector-Prince Erthal. The original furniture was saved during World War II. The walls are covered with damask silk

Les appartements des princes-électeurs dans la partie occidentale du château. C'est sous le Prince-Électeur Erthal que ces appartements ont reçu leur decoration classique. – Le mobilier original a été mis à l'abri pendant la Deuxième Guerre Mondiale. Les tentures murales sont en soie damassée de Lyon

stand ein Bauwerk von außergewöhnlicher Größe, das von Tag zu Tag schöner, prächtiger und interessanter wurde.

Als die Türme bereits bis zu den Balkonen hoch über die Dächer der Stadt ragten, meißelten die Bildhauer vielerlei Fratzen aus dem Sandstein, der von Steinbrüchen am Main in die Stadt gebracht worden war. Grimassen mit riesigen Augen, dicken Nasen und breiten Lippen. Die staunenden, lachenden, ernsten, mißtrauischen und optimistischen Gesichter der Bürger wurden in Stein umgesetzt und unter den Balkonen als Stütz- und Zierstücke angebracht. Das Intermezzo der Bewunderer wurde ebenso verewigt wie das stoische Beharren im kleinbürgerlichen Dilettantismus, der das

Wunder zwar bestaunte, aber kaum verstand.

Im Februar 1614 war das Schloß vollendet. Der Renaissance zwar verpflichtet, war es dennoch dem Frühbarock verbunden. Voluten, Obelisken, Pilaster, Konsolen und viele andere Zierformen hatte Ridinger zeichnen, in Stein meißeln lassen und damit Giebel, Galerien und Treppentürme geschmückt. Die Ecktürme waren sechs Stockwerke hoch; die achteckigen Helme mit Hauben, Laternen und Wetterfahnen gekrönt.

Das Bauwerk hatte über 900 000 Rheinische Gulden gekostet, eine für die damalige Zeit gewaltige Summe. In dieser Summe ist aber auch Geld enthalten, das aus dem Vermögen der als Hexen gebrandmarkten Bürger stammte; dieser Hinweis soll nicht vergessen werden. Wie keine andere ist diese Tatsache geeignet, die damalige Zeit zu charakterisieren. Noch herrschte der Wahn des Mittelalters, aber langsam zeichnete sich die Epoche der Vernunft ab. Kurfürst Schweickard von Kronberg akzeptierte Traditionen, war aber auch Neuerungen nicht abgeneigt. Er beauftragte schließlich die Jesuiten, in Aschaffenburg eine Niederlassung zu gründen und holte sich mit diesen Geistlichen die Macht, die den Hexenprozessen ein Ende bereitete.

Was sich im Äußeren so bilderreich produzierte, wurde im Innern mit Bedacht nachvollzogen. Für die Kapelle schuf der Bildhauer Hans Juncker einen prächtigen Altar und eine reich verzierte Kanzel. Die Wohnräume wurden von tüchtigen Handwerksmeistern mit wertvollem Dekor der Zeit ausgestattet, mit Mosaiken, Stuckdekken und Wandgemälden.

Bevor der Baumeister Ridinger die Stadt verließ, verfaßte er ein mit Kupferstichen reich ausgestattetes Werk mit dem Titel: „Architektur des Maintzischen Churfürstlichen Neuen Schloßbaues Sankt Johannispurg zu Aschaffenburg, sampt dessen Gründen, aufzügen, Geschenkswerken, gibeln und figuren".

Dieses Werk, in dem auch mit anerkennenden Worten der Arbeiter gedacht wird, die am Schloßbau mithalfen, ist über seinen Wert als Dokument hinaus ein Beispiel echter handwerklicher Gesinnung; es ist das Zeugnis eines einfachen Menschen, der seine Arbeiten beispielhaft und selbstlos zu Ende führte. Ridingers Wahlspruch hat seine Gültigkeit nicht verloren: „Wer Gott vertraut, der hat wohlgebaut!"

Das Schloß, das gegen Ende des 18. Jahrhunderts unter Kurfürst Friedrich Karl Joseph von Erthal im Inneren umgestaltet und den klassizistischen Vorbildern angepaßt worden war, ist im letzten Krieg fast vollständig zerstört worden. Die Innenräume – Mobiliar und Gemäldesammlungen waren

ausgelagert – brannten aus. Kurz nach Kriegsende begann der Wiederaufbau. Im Bautagebuch des Landbauamtes Aschaffenburg kann man noch, datiert aus dem Jahre 1945, den lapidaren Satz nachlesen: „Militärregierung ist mit dem Wiederaufbau einverstanden." Was diese Worte damals bedeuteten, kann nur ermessen, wer die damaligen Zustände miterlebt hat.

Es dauerte noch fünf Jahre, bis die ersten Baumaßnahmen durchgeführt werden konnten. Das Bayerische Staatsministerium der Finanzen, die Stadt Aschaffenburg und der „Aktionsausschuß für den Wiederaufbau des Aschaffenburger Schlosses" setzten sich für die Beschaffung der finanziellen Mittel ein. Nach etwa 20 Jahren war das Schloß vollendet. Der Wiederaufbau hatte über 15 Millionen Mark gekostet.

Heute sieht das Schloß im Äußeren wieder so aus wie im Jahre 1619, als in ihm Kaiser Ferdinand II. und andere deutsche Fürsten vom Mainzer Erzkanzler empfangen wurden. Es liegt wie ein prachtvolles Denkmal inmitten der Stadt, und es spiegelt sich wie eine riesige Muschel im Main.

Historische Kirchen

Neben dem Schloß kommt der Stiftskirche eine besondere Bedeutung zu. Als Keimzelle der städtebaulichen Entwicklung ist die Kirche ein Kulminationspunkt, von dem aus wesentliche Impulse für das religiöse und kulturelle Leben in der Stadt ausgingen. Neueste Forschungen ergaben, daß sich schon vor dem Jahre 1000 auf dem Platz, wo heute die Stiftskirche steht, eine Kapelle, die später zu einer größeren Kirchenanlage umgestaltet wurde, befunden hat. Spätromanische und frühgotische Entdeckungen beweisen, daß die Kirche zu den ältesten Bauten der Stadt gehört. Der Grundriß stammt aus dem 12. Jahrhundert. Im 13. Jahrhundert wurde die kreuzförmig angelegte Basilika vergrößert, im 15. Jahrhundert bekamen die Seitenschiffe spätromanische Netzgewölbe. Im gleichen Jahr-

Die Stiftskirche St. Peter und Alexander, urkundlich 974 zum ersten Mal erwähnt, war zu jeder Zeit der religiöse Mittelpunkt der Stadt

The collegiate church St. Peter and St. Alexander was first documented in the year 974. At that time it was the religious center of the town

La collégiale Saint-Pierre et Saint-Alexandre, mentionnée pour la première fois dans un document de 974, a toujours été le centre de la vie religieuse d'Aschaffenburg

33

Stiftskirche. – Zeitgenössisches Ölgemälde aus dem 18. Jh.

Collegiate church. Contemporary oil painting. 18th century

La collégiale, peinture à l'huile du XVIIIᵉ siècle

hundert wurde der Turm gebaut. Im 16. Jahrhundert kam die Maria-Schnee-Kapelle hinzu. Die barocke Freitreppe, die im frühen 18. Jahrhundert entstand, ähnelt einem Vorbau für ein triumphales Portal. Die romanische Vorhalle behielt jedoch ihre ursprüngliche Form und wurde der historisierenden Architektur nicht angepaßt. Mit

Kunstschätzen aus vielen Jahrhunderten ausgestattet, gehört die Stiftskirche in die Reihe der berühmten historischen Baudenkmäler im Rhein-Main-Gebiet. Für ihre Ausstattung arbeiteten tüchtige Handwerksmeister, deren Können mit schöpferischem Einfallsreichtum verbunden war. Hervorragend gestaltete Epitaphien geistlicher Würdenträger, Ritter und adeliger Persönlichkeiten schmücken die Wände im Hauptschiff und im Kreuzgang, in der Vorhalle und in den Kapellen. Die Figuren scheinen der Steinstarre entrückt, die Rüstungen schimmern im fahlen Licht, das durch die Buntglasfenster in die Kirche bricht und sich am barocken Hochaltar wie in einer Glaskugel sammelt.

Eines der wertvollsten Kleinodien der Stiftskirche ist der romanische Kruzifixus, dessen Entstehungszeit gesichert auf das Jahr 1120 zurückgeht. Manche Forscher datieren Kreuz und Korpus in das 10. Jahrhundert. Die Restaurierung in den 50er Jahren brachte die Originalfarben (in Farben angedeutete Edelsteine an den Kreuzbalken) wieder zum Vorschein

Romanesque crucifix around 1120 (according to other sources 10th century). The restoration in the 1950's brought out the original colors

Christ en croix roman de 1120 env., peut-être même du Xe siècle. La restauration des années 50 a permis de mettre à jour les couleurs originales

Stiftskirche, Innenraum. – Rechts die Renaissance-Kanzel von Hans Juncker, im Hintergrund der barocke Hochaltar mit dem Baldachin

The collegiate church inside. To the right the Renaissance pulpit by Hans Juncker. In the background the Baroque altar with the bronce covering

L'intérieur de la collégiale. A droite, la chaire Renaissance de Hans Juncker. Au fond, le maître-autel baroque avec son baldaquin

An der Evangelienseite des Hauptschiffs ist ein spätromanisches Kruzifix angebracht. Christus der Gekreuzigte mit asketisch geformten Gesichtszügen symbolisiert Schmerz und Entsagung, so wie auf dem Gemälde „Beweinung Christi" von Mathias Grünewald. Das Bild, als Predella für einen Altar geschaffen, ist ein Spätwerk des Malers, der in großartiger Weise die Vergänglichkeit alles Irdischen darzustellen verstand, der aber dennoch die leuchtenden Wappen der Stifter wie Lichtzeichen der Hoffnung an den Bildrand setzte.

Auf dem Altargemälde „Auferstehung" aus der Lukas Cranach-Schule steht Christus als Überwinder des Todes und als Mittelpunkt einer strahlenden Sonne über der

Erde und den in ihre Leidenschaften verstrickten Menschen.

In die Chronik der Stadt drängt sich in vielfacher Form auch die Sage, und sie ist stärker als anderswo mit dem Wunder und dem Glauben an eine überirdische Macht verbunden. Die Sage vom Fund eines Gnadenbildes, das den Bau der Sandkirche veranlaßt haben soll, findet sich nicht nur in den Sagen- und Legendenbüchern des 18. und des 19. Jahrhunderts, sondern auch in den Chroniken der Kirchen. Das Wunder konnte keine noch so aufgeklärte Zeit verdrängen.

Der Platz, auf dem heute die Sandkirche steht, war in früheren Jahrhunderten noch waldbewachsen und von Wiesen durchzogen. Dort soll ein Schäfer eine Lilie und beim Ausgraben des Wurzelstocks der seltenen Pflanze ein Muttergottesbild gefunden haben. Das Bild soll in die Stiftskirche gekommen, aber auf unerklärliche Weise immer wieder am Fundort aufgetaucht sein. Deshalb sei dort eine Kapelle und später eine Kirche gebaut worden.

Die Fakten der Kirchenchronik sind nüchtern und beweisbar. Wer jedoch das Gnadenbild fertigte oder stiftete ist unbekannt. Somit enthält die Sage – wie alle Berichte ähnlicher Art – eine Spur Wahrheit. Kunstexperten vermuten, daß die holzgeschnitzte Pieta im goldenen Schrein, inmitten des prächtigen Altars, aus dem 14. Jahrhundert stammt. Andere Forscher führen sogar byzantinische Daten an und verweisen auf Herzog Otto von Schwaben, der das Bild von einer Reise mit nach Aschaffenburg gebracht habe.

Auch mit der Einführung des Christentums durch den heiligen Kilian wird die Skulptur in Verbindung gebracht. Die fränkischen Könige, die der Verbreitung des Christentums die Wege ebneten, führten die Lilie im Wappen. Die Sandkirche – benannt nach einer Flurbezeichnung – entstand etwa in der Mitte des 18. Jahrhunderts. Sie war immer Votiv- und Wallfahrtskirche. Zu ihr pilgerten die Bürger der Stadt und die Bauern aus dem Spessart, die das Gnadenbild verehrten.

Die anderen Kirchen der Stadt gehörten zu Pfarreien oder zu Ordensniederlassun-

„Die Beweinung Christi" von Mathias Grünewald, ursprünglich als Predella zu einem Kreuzigungsaltar gemalt, ist ein Spätwerk des Meisters. Farbe und Form des Corpus sowie die in sich verschlungenen Hände, die den ganzen Schmerz (Mariens?) ausdrücken, zeigen das vielleicht reifste Werk des begnadeten Malers

"The Lamentation of Christ" by Mathias Gruenewald is one of the late works by the painter. Color, form of the corpus and the position of the hands, which expresses the pain, show the probably most mature work of the ingenuous painter

»La Déploration du Christ« de Mathias Grünewald, d'abord conçue comme prédelle d'un retable de la crucifixion, est une œuvre tardive du maître. La couleur et la forme du corps du Christ ainsi que les mains tordues (de la Vierge?) qui expriment la douleur de celle-ci, sont peut-être l'aboutissement de l'art de ce peintre génial

Stiftskirche, Innenraum. – Der barocke Hochaltar mit dem Baldachin

The collegiate church inside. The Baroque altar with the bronce covering

L'interieur de la collégiale. Le maître-autel baroque avec son baldaquin

gen. Den Bau der Jesuitenkirche veranlaßte Kurfürst Johann Schweickard von Kronberg. Die Kirche wurde nach dem Zweiten Weltkrieg und einer umfassenden Restaurierung profaniert und dient heute als Ausstellungsraum.

Die Muttergottespfarrkirche war die erste Pfarrkirche der Stadt. Der Grundstein wurde im 12. Jahrhundert gelegt, der Turm im 13. Jahrhundert gebaut. Die jetzige Kirche entstand im 18. Jahrhundert.

Die Agatha-Kirche lag einst vor den Stadtmauern inmitten des ältesten Friedhofes der Stadt. Nach dem letzten Krieg und den Zerstörungen erfolgte ihr Wiederaufbau nach den Richtlinien neuzeitlicher Architektur.

Die Kapuziner – von Kurfürst Johann Schweickard von Kronberg in die Stadt berufen – bauten ein Kloster und eine Kirche und konnten sich des Wohlwollens der Bürger erfreuen. Ihre selbstlose Tätigkeit im Dienste armer und kranker Menschen fand Anerkennung. Mit Stolz vermerkt die Chronik des Klosters, daß Kaiserin Maria Theresia von Österreich, König Ludwig I. von Bayern, Prinzregent Luitpold, der Mainzer Bischof Wilhelm Emanuel von Ketteler und viele andere namhafte Persönlichkeiten sich in das Gästebuch des Klosters eingetragen haben. Nach den Plänen des Münchner Architekten Ritter Friedrich von Thiersch entstand in den ersten Jahren des 20. Jahrhunderts die geräumige Hallenkirche.

Stiftskirche. – Taufstein aus dem späten 15. Jh.

Collegiate church. – Baptismal font, late 15th century

La collégiale. – Fonts baptismaux de la fin du XVe siècle

Die Muttergottespfarrkirche wurde in der heutigen Form in der zweiten Hälfte des 18. Jahrhunderts erbaut. Die Innenausstattung dieser Saalkirche ist barock, das moderne Deckengemälde schuf 1965–1967 Prof. Kaspar aus München

The Muttergottespfarrkirche in its present form was built in the late 18th century. The interior is Baroque and the modern fresco on the ceiling was painted by professor Kaspar from Munich in 1965–1967.

L'église paroissiale Notre-Dame, telle que nous la voyons aujourd'hui, date de la deuxième moitié du XVIIIe siècle. La décoration intérieure de cette église à une seule nef est de style baroque; la fresque moderne qui orne son plafond est l'œuvre du Prof. Kaspar de Munich et a été réalisée dans les années 1965 à 1967

Daß in einer so katholisch ausgerichteten Stadt, deren Landesherren religiöse und politische Macht besaßen, die evangelisch-lutherischen Einwohner nicht so rasch einen kirchlichen Gemeindemittelpunkt schaffen konnten, ist verständlich. Aber die Anhänger Luthers, denen schon von König Gustav Adolf von Schweden Zusicherungen gemacht wurden, blieben mit unerschütterlicher Zuversicht ihrem Ziel verbunden und erreichten, daß im Jahre 1831 erste Baupläne für eine eigene Kirche erstellt werden konnten. Sechs Jahre später wurde der Grundstein für die Kirche in der Pfaffengasse gelegt. Kronprinz Maximilian von Bayern war beim Fest der Grundsteinlegung Ehrengast. Im Jahre 1919 erwarb die evangelische Gemeinde das Kasinogebäude, das seitdem als Gemeindehaus genutzt wird. An die in der Stadt einst ansässigen Juden, an die Synagoge und an das kulturelle Leben der jüdischen Gemeinde, die das wirtschaftliche und geistige Profil der Stadt mitgeprägt hat, erinnert der Wolfsthalplatz mit einem Mahnmal und Gedenkräumen, in denen die Geschichte der Juden mit Bildern und Dokumenten dargestellt wird.

Berühmte Gäste

Die Stadt fand Bewunderer in allen Jahrhunderten. Es waren nicht nur die Kurfürsten von Mainz, die von der Lage der Stadt begeistert waren und sich gerne den Kutschern und Reitern oder den Schiffen anvertrauten, um über die Straßen oder auf dem Main von Mainz nach Aschaffenburg zu kommen. Auch die Bediensteten des Hofstaates kamen gerne in die kleine Stadt, in der die galanten Feste noch verschwiegene Arrangements waren und wo man noch mit einem Bürgermädchen scherzen konnte, ohne das Protokoll zu verletzen. Viele dieser Hofchargen blieben mit ihren Familien in der Stadt. Einige Namen kann man noch auf verwitterten Steinen im alten Friedhof lesen, kaum mehr zu entziffern, sie sind aber dennoch gegenwärtig. Die Stadt war

diesen Bürgern einmal Heimat und festlicher Rahmen für ihre Lustbarkeiten, die auch am kurfürstlichen Hof nicht verpönt waren. Der Bibliothekar des Kurfürsten Karl Friedrich Joseph von Erthal, Wilhelm Heinse, wußte darüber ausführlich zu berichten. Später kokettierte Bettina Brentano, die als Frau des märkischen Junkers Achim von Arnim literarisch berühmt werden sollte, mit Fürstprimas Dalberg. Sie verstand sich auch auf den kapriziösen Humor und kleidete ihn in ihren Briefen an Goethe in schwärmerische Worte. Helmina von Chézy setzt in ihrem Buch „Unvergessenes" der Stadt ein liebenswürdiges Denkmal. Karl Immermann schreibt in seinem Tagebuch „Fränkische Reise", daß er in Aschaffenburg das Glück fand, das alle Unbequemlichkeiten des Reisens „kompensierte". Die Namen derjenigen, die sich über die Stadt geäußert haben, sind nicht zu zählen. Clemens Brentano besuchte die Stadt oft, fand hier sein Zuhause und seine letzte Ruhe. Seine Liebe zu der Stadt, seine Freude beim Durchstreifen der Gassen, Winkel und Anlagen fanden in seinem Werk jedoch keinen Niederschlag.

König Ludwig I. aber schrieb der Stadt ein paar Verse in ihre Chronik:

„Lebe wohl mein stilles Aschaffenburg,
Wohnung des Friedens,
Ruhe hab ich gesucht; fand sie erfreulich in
dir.
Lebt wohl, freundliche Gärten, ihr grünenden, schattigen Gänge.
Fern dem Geräusch der Welt, war ich doch
hier nicht allein;
Ja, bei euch, ihr Hellenen, befand sich ergriffen die Seele;
Sache des Herzens ist mir's, daß ihr die Freiheit erringt.
Lebte hier bei mancherlei Völkern in vielerlei Zeiten;
Griechisch sprach der Platan, deutscher die
Eiche mich an."

Literarisch zwar ohne Bedeutung, aber ein königliches Dokument, das seinen Wert, trotz der sentimentalen Tendenz, behalten hat.

Das Pompejanum

König Ludwig I. sorgte auch dafür, daß ein pompejanisches Haus als Landschaftskulisse auf einem Felsmassiv am rechten Mainufer unweit vom Schloß in den Jahren 1840–1848 gebaut werden konnte. Als Vorbild für das „Pompejanum" diente die in Pompeji ausgegrabene Villa „Castor und Pollux", deren Grundriß und Innengestaltung der bayerische Hofarchitekt Friedrich von Gärtner für die Nachbildung übernahm. Das Pompejanum wurde im Zweiten Weltkrieg zerstört; Mosaiken und Wandmalereien im Innern vernichtet. Kurz nach dem Krieg aber ist auch das Pompejanum in die Wiederaufbaupläne einbezogen worden. In der Begründung für den Wiederaufbau wird deutlich die Frage beantwortet, warum das Pompejanum seinen ursprünglichen Zustand wieder erhalten müsse: „Unter den seltenen Beispielen spätromantischer Architektur in Deutschland ist das Pompejanum – nur das Erdgeschoß bildet das Haus des Castor und Pollux – eines der bedeutendsten. Es interpretiert das wegen seines südlichen Klimas berühmte Mainufer, das ‚Bayerische Nizza', als klassisch-romantische Bildungslandschaft. Die Bepflanzung steigert diesen Eindruck. Überdies fügt sich das Pompejanum als Architekturstaffage in den Gürtel landschaftsgärtnerischer Anlagen der Stadt ein, die auf einen großzügigen Plan von Friedrich Ludwig Sckell, des bedeutendsten Gartenkünstlers der Goethezeit, zurückgehen. Das Pompejanum bestimmt zusammen mit dem Schloß und der Stiftskirche das Uferpanorama von Aschaffenburg."

Das Pompejanum harmoniert mit dem Schloß und gibt dem Mainufer eine festliche Variante.

Das Pompejanum. – Die Nachbildung des Hauses „Castor und Pollux" in Pompeji wurde unter König Ludwig I. von Bayern in den Jahren 1840–1848 erbaut. An dem Bergabhang zum Main gedeiht der bekannteste Frankenwein der Stadt, der „Aschaffenburger Pompejaner".

The Pompejanum. – This reproduction of the villa "Castor and Pollux" in Pompeji was built 1840–1848. The only Franken wine, the "Aschaffenburger Pompejaner", grows on the hillside along the Main river

Le Pompeianum. – Cette reconstitution de la maison de »Castor et Pollux« à Pompéi a été construite de 1840 à 1848. Situé en contrebas, le seul vignoble de la ville produit l'»Aschaffenburger Pompejaner«.

Kunst und Kultur

Vieles ist in der Stadt zwar für immer verloren – Worte, Gedanken, Taten, auch wenn sie für alle Ewigkeit gedacht waren. Geblieben ist das äußere Bild mit Gassen, Straßen, Häusern und dem Schloß, den kirchlichen und profanen Bauten und den Kunstschätzen.

Immer noch verströmt am Pompejanum im Sommer der Duft der Rosen ein betörendes Aroma, Forsythien bemalen die von der Sonne erwärmten roten Sandsteinmauern im Schloßgarten, zwischen zartem Grün gepflegter Rasenflächen entfalten Tulpen ihre ganze Farbenpracht. Im Herbst, wenn die blanken Früchte der Kastanienbäume fallen, färbt die Stadt sich rostrot ein. Im Winter zieht ein Schimmer, graublau, kalt und dennoch heiter durch die alte Stadt.

Diese Schönheiten versuchten Künstler aller Epochen in ihren Werken einzufangen. Maler fanden geeignete Ansichten und konnten sich aus der Vielfalt der dargebotenen Einzelheiten immer neue Motive wählen. Veit Hirschvogels Zeichnung war für Mathäus Merian ein wichtiges Vorbild, um die „Topographia Archiepiscopatuum Moguntinensis", 1646 in Frankfurt am Main erschienen, herstellen zu können. Es folgten Kupferstiche, Holzschnitte, Aquarelle und Ölbilder. Im späten 18. Jahrhundert war der Maler Ferdinand Kobell von der Stadt so begeistert, daß er sie in allen Jahreszeiten besuchte, um ihre Wärme und ihren strahlenden Widerschein in Farben umzusetzen. Kobell war der Initiator und Erfinder einer Aschaffenburger Bilderserie, die anderen Künstlern Ansporn und Auftrag war. Es kamen Künstler von Rang, Sonntagsmaler und reisefreudige Besucher mit Skizzenbüchern.

Einheimische und Zugereiste versuchten sich am Bild der Stadt. Darunter war auch Franz Graf von Pocci, der 1864 als Oberstkämmerer des Königs Ludwig I. in die Stadt kam und einige ihrer schönsten Motive aquarellierte. Anregungen die er hier fand, verwendete er für sein „Lustiges Komödienbüchlein", denn schlagfertige Fischergässer, humorvolle Eckensteher und resolute Marktfrauen gab es in der Stadt schon immer.

Stilräume und Gemäldegalerie im Schloß

Dem Schloß, das bereits kurz nach seiner Vollendung kostbar ausgestattet worden war, wurde erst im 19. Jahrhundert jener legendäre Glanz zuteil, der nach dem Zweiten Weltkrieg erneuert und sogar überboten werden konnte. Das klassizistische Mobiliar, vor Kriegsbeginn ausgeräumt und sicher untergebracht, konnte – fast vollständig – in die wiederhergestellten Räumlichkeiten eingeordnet werden. Die Wandbespannungen, zumeist aus Seidendamast, sind nach Kartons, die zu Erthals Zeiten angefertigt wurden und noch vorhanden waren, originalgetreu wiederhergestellt.

Bilder aus der Gemäldegalerie erhielten als dekorative Elemente in den kurfürstlichen Wohnräumen eine neue Bedeutung. Der Filialgalerie der Bayerischen Gemäldesammlungen ist eine großzügige Raumflucht vorbehalten.

Die Gemäldegalerie hat eine wechselvolle Geschichte hinter sich. Sie war bis zum Jahre 1794 in Mainz. Bei der Verlegung der Galerie nach Aschaffenburg sorgte der Heilbronner Maler Heinrich Füger, der den Auftrag hatte, ein Porträt des Kurfürsten Friedrich Karl Joseph von Erthal anzufertigen, dafür, daß das Gesamtkonzept der Bildersammlung erhalten blieb.

Nach dem Tode des Kurfürsten Erthal im Jahre 1802 wurden die Gemälde dem Bruder des Verstorbenen, Obersthofmeister Freiherr Lothar Franz von Erthal, übereignet. Dieser regelte testamentarisch die Ga-

Gartenpavillon von Joseph Emanuel Herigoyen. – Der klassizistische Rundtempel mit Kuppel auf ionischen Säulen liegt inmitten des Schloßgartens, nicht weit vom Pompejanum entfernt

Garden pavilion by Joseph Emanuel Herigoyen in the castle gardens

Le pavillon de Joseph Emanuel Herigoyen dans le parc du château

Joos de Momper d. J. (1564–1635). Gebirgslandschaft. Staatsgalerie Aschaffenburg, Schloß Johannisburg

Joos de Momper d. J. (1564–1635). Mountain landscape. State gallery Aschaffenburg. Castle Johannisburg

Paysage de montagne. Peinture à l'huile de Joos de Momper le Jeune (1564–1635). Galerie nationale d'Aschaffenburg. Château de Johannisburg

leriebesitzrechte: „Dem Kurstaat sind meine Malereien gänzlich zugedacht so zwar, daß solche bei dem Kurstaat ewig zu verbleiben haben!"

Nach Erthals Tod existierte der Kurstaat nicht mehr. Im Jahre 1820 katalogisierte der Maler und spätere Direktor der Münchner Pinakothek, Johann Georg von Dillis, auf Weisung König Max I. von Bayern die Gemäldebestände. Der Maler Edmund Seeland wurde zum Direktor der Galerie ernannt. In einem Staatsvertrag vom 2. Juli 1828 wurde die kurfürstliche Bildersammlung der Zentralgemäldegalerie in München unterstellt. Im Zuge einer Neuordnung aller bayerischen Galerien wurden Bilder aus Aschaffenburg nach München gebracht, und andere Bilder wurden der Aschaffenburger Galerie eingefügt. Zu einer Zeit, da König Ludwig I. oft in Aschaffenburg weilte und der Stadt seine besondere Gunst und sein Wohlwollen schenkte, war ein Bilderaustausch keine Aktion, die

geeignet gewesen wäre, bei den Aschaffenburger Bürgern Proteste hervorzurufen. Erst später, als das Wort „Kunstzentralismus" zum Schlagwort wurde und allzu besorgte Heimatfreunde ihren Lokalpatriotismus unter Beweis zu stellen versuchten, entwickelte sich die Gemäldegalerie zu einem Politikum. Nach einer gründlichen Neuordnung schrieb im Jahre 1932 der Generaldirektor der Bayerischen Gemäldesammlung, Geheimrat Dr. Franz Dörnhöffer:

„Als das Aschaffenburger Gebiet dem Königreich Bayern einverleibt wurde, gingen mit dem übrigen Staatsbesitz auch die Gemäldebestände in das Eigentum des bayerischen Staates über und wurden in das Inventar der Königlichen Zentralgemäldegalerie aufgenommen. Im Verlauf des 19. und 20. Jahrhunderts wurden, wenn es das Gesamtinteresse der Bayerischen Staatsgemäldesammlungen erforderte, mehrfach einzelne Bilder der Schloßgalerie mit sol-

Hans Juncker, Alabasteraltar um 1610 in der Schloßkapelle. Der Altar wurde nach schwerer Beschädigung im 2. Weltkrieg in mühevoller Kleinarbeit aus dem noch vorhandenen Material restauriert

Alabaster altar by Hans Juncker around 1610, located in the chapel of the castle. The altar was severely damaged during World War II and was laboriously restored from the remainders

Autel d'albâtre (vers 1610) de Hans Juncker, dans la chapelle du château. Après avoir été fortement endommagé au cours de la Deuxième Guerre Mondiale, cet autel a été méticuleusement restauré à partir des restes encore disponibles

chen der Alten Pinakothek oder aus anderem Staatsbesitz ausgetauscht. Gemälde, die bisher zur Dekoration der Schloßräume verwendet worden waren, wurden einer kritischen Säuberung unterzogen und nur solche belassen, die zur Ergänzung der Galerie wünschenswert erschienen. Alle im Schloß ausgestellten Gemälde bilden nun ein einheitliches Ganzes."

Die politischen Unruhen im Jahre 1923 brachten die Verlegung der Galerie nach Südbayern mit sich. Im Mai 1927 wurden die Gemälde nach Aschaffenburg zurücktransportiert. In der Galerie befinden sich wertvolle Bilder aus dem 16., 17. und 18. Jahrhundert. Bedeutende Maler sind hier mit ihren Werken vertreten, darunter Hans Baldung Grien, Breughel, Correggio, Lukas Cranach, van Dyck, Aert de Gelder, Angelika Kauffmann, van der Neer, Raffael, Rembrandt und Rubens. Die Kanzler und Erzbischöfe suchten sich mit Vorliebe diejenigen Gemälde aus, die romantische Landschaften zeigen. Holländische Ansichten waren begehrt. In den hohen, vom Lärm der Außenwelt abgeschirmten Gemächern sollte der Blick nicht nur der Landschaft im Fensterrahmen gelten, sondern er sollte in unbekannte und geheimnisvolle Ferne schweifen können. Die geistlichen Würdenträger, stets mit einer Fülle religiöser Insignien und Darstellungen konfrontiert, reisten gedanklich in Bildern von Ruisdael und von van Goyen nach Holland, gerieten ins Träumen, wenn sie die Hügellandschaften Huysmans studierten und erfreuten sich beim Betrachten der Bilder von David Teniers und Gerrit Dou. Die Bilder, kostbar gerahmt und ob der Vielzahl in den Vorzimmern sogar übereinander gehängt, haben die Zeiten und ihre Stifter und Besitzer überdauert. Sie zeugen von berühmten Malergenerationen der Welt. In den hellen, holzgetäfelten Räumen, wo das warme Licht sonnenreicher Spätnachmittage auf eine fast unerklärliche Weise immer vorhanden ist, erzählen die Bilder von Schicksalen und Ereignissen vergangener Zeiten. In den Landschaftsbildern wird nicht nur die Fremde mit topographisch genau gezeichneten Kleinigkeiten transferiert, sondern auch die Stadt selbst, die Umgebung, der Main, die Hügel und Berge vom Spessart und Odenwald. Hervorragendes Beispiel dafür sind die Bilder von Christian Georg Schütz (1718–1791). Auf vielen Gemälden wird das Thema der Passion abgehandelt. Aert de Gelder, Hans Baldung Grien, Frans Franken und andere schufen die im Dunkel verschwimmenden Szenen des Kreuzweges und der Kreuzigung. Dazwischen die Fürsten, die Herren, die Könige. Im festlichen Ornat, von Lukas Cranach gemalt, Kurfürst Joachim I. von Brandenburg; in vornehmer Tracht des 18. Jahrhunderts: Franz Ludwig von Erthal, gemalt von Ludwig Stern; mit Hermelinumhang und goldenem Kreuz auf der Brust: Kurfürst Friedrich Karl Joseph von Erthal, gemalt von Heinrich Füger.

Die Gemäldesammlung ist ein kostbares Erbe aus kurfürstlicher Zeit. Die Vergangenheit ist in ihrem Rahmen latent spürbar. Sie bleibt es auch bei der Begegnung mit anderen Kunstwerken, und sie steigert die Erwartung, so daß der Galeriebesuch nur eines von vielen Erlebnissen bleibt.

Das Schloßmuseum

Das Schloßmuseum der Stadt zeigt in mehreren Räumen eine Fülle künstlerisch hochwertigen Materials, das anschaulich die auf den Alltag bezogenen Aspekte der Stadtbewohner zur Geltung bringt. Künstlerische Impulse der verschiedensten Jahrhunderte, Handwerkerfleiß und Bürgerstolz – das alles kann im Schloßmuseum nachempfunden werden.

Die Zunftfahnen im Zunftsaal geben dem Raum eine polychrome Atmosphäre, die bei einem Rundgang im Museum immer wieder spürbar wird. Zwischen den matt schimmernden, mit Gold- und Silberbeschlägen geschmückten Renaissancemöbeln, den Bildern und Gobelins funkeln Geschirre aus Kupfer und Zinn. Steinzeug in den verschiedensten Formen liegt unter Glas in den Vitrinen. Wertvolle Fayencestücke der kurmainzischen Manufakturen, Porzellan aus Meißen und Berlin, Hinterglasbilder, eine reiche Sammlung „Dammer Steingut" und vieles mehr ist in harmonischer Folge zusammengestellt. Das Interieur beeindruckt nicht nur durch die Vielfalt der Exponate, nicht nur durch ihren Wert, der in Zahlen nicht ausgedrückt werden kann, sondern vor allem durch ein liebenswürdiges Flair, das die Traditionen mit

Ruhe und Behaglichkeit nahezubringen versteht. Mit diesen Dingen, museal geordnet und dem Benutzerwillen weit entrückt, wird nicht nur das alltägliche Leben am kurfürstlichen Hof noch einmal in einer blassen Rückblende sichtbar, sondern es wird auch das bürgerliche Schaffen, das Sorgen, Behüten und Bewahren – von den vergangenen Generationen mit Bedacht getätigt – offenkundig. Das innere Gesicht der Stadt wird transparent, und was an den äußeren Konturen ablesbar war, erhält Präludium und Finale.

Das Stiftsmuseum

Das Stiftsmuseum im Stiftskapitelhaus hat einen Schwerpunkt in der kirchlichen Kunst. Das Haus, das die Kriegswirren fast unversehrt überstanden hat, ist allein schon baugeschichtlich ein interessantes Objekt, dessen älteste Teile aus dem 13. Jahrhundert stammen. An der Nordseite der Stiftskirche umgibt das Haus den spätromanischen Kreuzgang wie ein schützender Rahmen. In der stillen Abgeschlossenheit dieses Refugiums gelang es den Würdenträgern des Kollegiatstifts über Fragen des Seins, über Werden und Vergehen ungestört nachzudenken. In dem mit zierlichen Säulen, Pfeilern und reichverzierten Kapitellen geschmückten Kreuzgang künden auf zahlreichen Epitaphien Namen und Daten von geistlichen Würdenträgern des Kollegiatstiftes und deren nächsten Angehörigen.

Im Museum ist vieles zu finden, was zu Lebzeiten derjenigen, die in der Kirche bestattet worden sind, von Bedeutung gewesen ist: kirchliche Gerätschaften aus vielen Jahrhunderten, Goldschmiedearbeiten, Handschriften, Bildnisse und Skulpturen. Kanonikerzimmer und Kapitelsaal spiegeln mit aufwendigem Dekor die vergangene Zeit, die wie hinter golddurchwirkten Schleiern sichtbar wird.

Den zweiten Schwerpunkt des Stiftsmuseums bilden die großen Sammlungen aus der Vor- und Frühzeit: alte Grabsteine römischer Legionäre, Vasen in allen Größen, kleine, handwerkliche Geräte, Fibeln und Grabbeigaben.

Figuren aus der Porzellanmanufaktur Aschaffenburg-Damm, Schloßmuseum

Figurines from the porcelain manufacture in Aschaffenburg-Damm

Figurines de la manufacture de faïence d'Aschaffenburg-Damm

Christian Schad (1894–1982), Bildnis Clemens Brentano, 1954, Ölgemälde auf Holz, Schloßmuseum

Clemens Brentano painted by Christian Schad (1894–1982). Oil on wood, Schlossmuseum

Portrait de Clemens Brentano par Christian Schad (1894–1982). Peinture à l'huile sur bois. Musée du château

48

Im Kreuzgang der Stiftskirche, in der Mitte des 13. Jahrhunderts entstanden, zeigt sich der Übergang von der romanischen zur gotischen Baukunst und Architektur. Zahlreiche Grabsteine erinnern an die Namen ehemaliger Stiftskanoniker

The crossvault of the collegiate church built in the 13th century shows the change from Roman to Gothic architecture

Le cloître de la collégiale, qui date du milieu du XIIIᵉ siècle, est un témoin de l'époque de transition entre le roman et le gothique

Naturwissenschaftliches Museum und ehemalige Forsthochschule

Das Naturwissenschaftliche Museum im Schönborner Hof verdankt seine Entstehung der ehemaligen Forsthochschule. Wie kein anderes Institut hat diese Schule, die im Jahre 1806 gegründet wurde, das Leben in der Stadt beeinflußt. Als eine in der Dalberg-Zeit entstandene Einrichtung behielt sie nach der Übergabe des Fürstentums an Bayern dennoch ihre Eigenständigkeit und konnte sich jahrzehntelang auf die Unterstützung der Wittelsbacher verlassen. Die Forststudenten, von den Bürgern der Stadt scherzhaft „Forstpolacken" genannt, gaben im 19. Jahrhundert dem Stadtbild eine besondere Note. Sie strebten zwar einen her-vorragenden Abschluß ihrer Studienjahre an, waren aber auch mit Eifer der heiteren Muse zugetan.

Erst im Jahre 1910 wurde die Forsthochschule nach München verlegt. Die Stadt verlor keine Schule im üblichen Sinne, sondern eine Institution, die untrennbar mit dem bürgerlichen Leben verbunden war. Viele Forststudenten fanden in der Stadt eine Heimat, denn Bürgermädchen und Studenten verstanden sich ausgezeichnet, so daß sich aus mancher Freundschaft eine Lebensgemeinschaft entwickelte. Wenn auch der Absolvent der Schule eine Anstellung in einem Forstbetrieb weit von seiner Hochschule entfernt fand, so wurde er oft von seiner Braut oder von seiner Frau begleitet.

49

Die Forstgeschichte Deutschlands im 19. Jahrhundert nennt viele Namen, die auf Aschaffenburger Bürgergenerationen zurückzuführen sind.

Mit der Forsthochschule war über drei Jahrzehnte lang der Naturwissenschaftliche Verein eng verbunden. Er wurde im Jahre 1878 von einigen Professoren gemeinsam mit interessierten Laien gegründet. Der 1846 in Zweibrücken geborene Hermann Dingler, der in Erlangen und München studiert hatte, war etliche Jahre Vorsitzender des Vereins. Als ordentlicher Professor für Botanik lehrte er ab 1889 an der Forsthochschule. Nach der Übersiedelung der Schule nach München blieb er in Aschaffenburg und verwaltete mit Eifer, Hingabe, aber auch mit einer gehörigen Portion Humor das Erbe des Forstlehrinstituts. Das Schulgebäude an der Alexandrastraße wollte er für die umfangreichen, in der Stadt verbliebenen naturwissenschaftlichen Sammlungen retten. Er setzte sich für den Erhalt des botanischen Gartens, in dem Ginkgobäume, Sumpfzypressen, Pyramideneichen und andere botanische Seltenheiten zu finden waren, ein. Es gelang ihm schließlich, das Naturwissenschaftliche Museum ins Leben zu rufen. Die zoologischen, botanischen und mineralogischen Sammlungen der Forstlehranstalt bildeten die Grundlage. Im Jahre 1911 wurde dieses Museum der Öffentlichkeit übergeben.

Mit Dr. Dingler zusammen arbeiteten noch Dr. Friedrich Spangenberg und der Chemiker Professor Max Conrad. Sie alle hatten etwas von der Lebensfreude der Forststudenten übernommen und betrachteten das Leben, dessen geheime Zusammenhänge sie zu ergründen suchten, von der heiteren Seite. Dem Humor gaben auch Hofrat Dr. Karl Fröhlich und der Arzt und Naturforscher Karl Flach eine wichtige Funktion im Alltagsleben. Dr. Fröhlich richtete die großartige Sammlung von Schmetterlingen, Käfern, Spinnen und Asseln ein. Dr. Flach – das „Flachs Karlche", wie die Bürger sagten – sammelte Schnecken und Käfer. Die Besucher seines Hauses in der Karlstraße mußten sich auch mit Meerschweinchen, Schildkröten und Papageien anfreunden, wenn sie des Doktors Wohlwollen in Anspruch nehmen wollten.

Schließlich muß noch an den Sanitätsrat Dr. Karl Singer erinnert werden. Als sich Dr. Singer nach Beendigung seiner vielseitigen Tätigkeit als Arzt mit 65 Jahren seinem Hobby als Entomologe ausschließlich widmen konnte, befaßte er sich mit den Blattwanzen, setzte sich mit Wanzenforschern aus aller Welt in Verbindung und legte eine einzigartige Wanzensammlung an, die zu den interessantesten dieser Art zählt.

Aus dem Stiftsschatz: Reliquiarbüste des hl. Petrus, aus Silber getrieben und mit Gold überzogen. Sie findet noch heute, zusammen mit einer Büste des hl. Alexander, bei kirchlichen Hochfesten liturgische Verwendung

From the treasury of the collegiate church: Reliquary bust of St. Peter made from silver and covered with gold. Together with the bust of St. Alexander it is still displayed during religious holidays

Trésor du chapître: buste-reliquaire de saint Pierre en argent repoussé et doré. Ce buste est aujourd'hui encore employé dans la liturgie des grandes fêtes de l'église avec un buste de saint Alexandre

Die Dalbergstraße war bis in das 20. Jahrhundert die wichtigste Straße in Aschaffenburg

Up to the 20th century Dalbergstrasse was the main street in Aschaffenburg

La Dalbergstraße a été jusqu'au XXe siècle la rue la plus importante d'Aschaffenburg

Im Schloßgarten

In the castle gardens ▶

Dans le parc du château

51

Die historischen Gärten

Die weitläufigen Parkanlagen der Stadt können nicht nur einem einzigen Gartengestalter zugeschrieben werden. Zwar hat Friedrich Ludwig Sckell, nachdem er für den Kurfürsten Karl Theodor von der Pfalz den Park Schwetzingen angelegt hatte, mehrere Gartenpläne für den Kurfürsten Friedrich Karl Joseph von Erthal angefertigt und schließlich auch entscheidend an der Verwirklichung von vielen dieser Pläne mitgewirkt, aber das Grundkonzept der Anlagen bildete der Schloßgarten. Zur

Burg gehörte einst ein Küchengarten, der, als das prunkvolle Schloß vollendet war, in einer etwas anderen Art übernommen worden ist. Ein Garten mit Gemüsebeeten und Kräuterstauden paßte nicht so recht in den Rahmen, den eine Stadtresidenz benötigte. Deshalb entwarf der Schloßbaumeister für die etwa neunzig Meter langen ebenen Flächen rings um den quadratischen Bau kleine Gärten nach französischen Vorbildern. Blumenarrangements, Broderien und Laubengänge sollten eine freundliche Zierde bil-

den. Auf alten Zeichnungen sind uns noch Ansichten des Gartens oberhalb der Terrassenmauer überliefert. Die 52 Meter hohen Türme scheinen ein verkleinertes Schattenbild gefunden zu haben.

Der Schloßgarten

Der Terrassengarten wurde im 18. Jahrhundert nach englischem Muster umgestaltet, aber er blieb ein farbenfroher Teppich, ausgebreitet wie ein Gobelin, der aus einem der Säle geholt worden ist, um den Gästen schon vor dem Portal der Residenz einen würdigen Empfang zu bereiten. Im späten 19. Jahrhundert wurde die zierliche Anlage Teil des vergrößerten Schloßgartens, in dem Kastanien, Buchen, Fichten und Lärchen angepflanzt worden waren. Hier findet man im Frühjahr den Seidelbast, Weißdorndolden schmücken die Mauern, blauer Flieder und gelber Ginster schimmern durchs dunkle Nadelgehölz. Vom Schloßgarten aus, vorbei an einem Tempel aus der Erthalzeit, über einen eisernen Steg, der den ehemaligen Stadtgraben überspannt, führt der Weg zum Garten am Pompejanum. Hier stehen Schwarzkiefern wie strenge Wächter um das gelbe Haus. Im Sommer

glühen unzählige Rosen auf der Terrasse, und dort, wo Sandsteinstatuen die Jahreszeiten symbolisieren, gesellen sich Schneeglöckchen, Tulpen, Trollblumen, Veilchen und Zinnien dazu.

Park Schöntal

Im 19. Jahrhundert begann auch die gärtnerische Umwandlung des ehemaligen Stadtgrabens, der vom Schloßgarten aus zur Stadtmitte führt. Er mündet in das „Offene Schöntal", das wie ein grüner Streifen mitten in der Stadt liegt und sich im Park Schöntal fortsetzt. Die Geschichte des Schöntals beginnt im 15. Jahrhundert. Kurfürst Dieter von Erbach, der die Stadt an vielen Stellen befestigen ließ, erteilte den Auftrag, einen Tiergarten unmittelbar hinter einer Stadtmauer anzulegen. Dieser Garten konnte ohne Schwierigkeiten abgegrenzt werden, weil auf einer seiner Seiten die Stadtmauer den nötigen Abschluß bildete. Kardinal Albrecht von Brandenburg übernahm hundert Jahre später den Tierpark, der seine ursprüngliche Bedeutung verloren hatte und Teil eines Frauenklosters wurde. Inmitten der Klosteranlage entstand die Heilig-Grab-Kirche. Kirche und Kloster wurden im Markgräflerkrieg zerstört. Es blieb eine Ruine.

Als Friedrich Ludwig Sckell in die Stadt gekommen war, um nach den Ideen des Kurfürsten Erthal den Park Schönbusch zu gestalten, war er von der Kirchenruine im Park Schöntal fasziniert. Er sah in dem malerisch auf einer Insel gelegenen ruinösen Bauwerk ein in sein Konzept passendes Versatzstück, das er für sein Gartentheater gut gebrauchen konnte. Sckell zeichnete die Grundkonzeption des Parkes Schöntal und gab der Ruine eine ihr zustehende Aufgabe. Das zerstörte Antlitz der ehemaligen Kirche wird heute nicht mehr als schmerzliche Erinnerung an einen Krieg empfunden. Es hat sich im Kranz des immergrünen Parks zum freundlichen Dekor gewandelt.

Die „Fasanerie"

Vom Schöntal aus ist es zur „Fasanerie" nicht weit. Der Name erinnert an den im 18. Jahrhundert angelegten Wildpark, in dem vor allem Fasane angesiedelt waren. Aus dem „Bürgerwäldchen" – wie in alten Urkunden vermerkt – wurde unter Kurfürst Erthal ein zum Teil eingezäuntes Tierareal, in dem auch Damwild gehegt worden ist. Nach der kurfürstlichen Zeit, als weder Fasanenzucht noch Wildpirsch in unmittelbarer Nähe der Stadt gefragt waren, erfolgte die Umwandlung zur „Fasanerie", deren Name allerdings mit Fasanen nichts mehr zu tun hatte. Die Fasanerie wurde ein stadtnahes Ausflugsziel. In ihrem Bereich steht zwischen alten Bäumen und dichtem Gebüsch das Andrians-Denkmal. („Zur Erinnerung an den hier am 6.8.1824 im Duell gefallenen Forststudenten Andrian") Am Rande der Fasanerie errichtete die Stadt im 19. Jahrhundert ihrem „Erhabenen Wohltäter, Ludwig I. König von Bayern" die Ludwig-Säule. An der Nordseite der Fasanerie erinnert das „Österreicher-Denkmal" an die am 14. Juli 1866 im Gefecht bei Aschaffenburg gefallenen Österreicher.

Die Fasanerie ist wieder ein „Bürgerwäldchen" im wahrsten Sinne des Wortes. Das beweist vor allem die ebenfalls im 19. Jahrhundert errichtete „Kippenburg", heute Mittelpunkt der alljährlich stattfindenden „Kippenburgfeste".

Park Schönbusch

Im 18. Jahrhundert widmeten die regierenden Fürsten und geistlichen Würdenträger, die die Möglichkeiten hatten, ihre Residenzen nach dem Geschmack der Zeit auszustatten, dem „Landschaftsgarten" ihre besonderen Interessen. Dieser Gartentyp symbolisierte ein neues Naturverständnis und versuchte die These Rousseaus „Zurück zur Natur" zu verwirklichen. Nicht mehr exakt abgemessene Blumenrabatte

Am Eingang zur Großmutterwiese, an die sich, getrennt durch die Miltenberger Bahnlinie, die Fasanerie anschließt, steht seit 1969 der nach König Ludwig I. von Bayern benannte Ludwigsbrunnen. Sein Standort war ursprünglich am Ende der Luitpoldstraße, der einstigen Prachtstraße von Aschaffenburg

Ludwigsfountain at the Grossmutterwiese, named after King Ludwig I. of Bavaria

La fontaine du roi Louis, ainsi nommée d'après le roi Louis I*er* de Bavière, dans le jardin »Großmutterwiese«

stehen sollte, wurden ausgearbeitet. Im Jahre 1775 begannen die Arbeiten in dem im Mainknie liegenden Areal. Sickingens „Schönbusch-Plan" fand die uneingeschränkte Zustimmung des Kurfürsten. Herigoyen lieferte zahlreiche Skizzen und Ansichten für die vorgesehenen Gartenstaffagen. Kurz nach Arbeitsbeginn aber stellte sich heraus, daß Sickingen und Herigoyen verschiedene Auffassungen von einem Landschaftsgarten hatten. Sickingen berücksichtigte die natürlichen Gegebenheiten der Landschaft und wollte sie nur behutsam verändern, Herigoyen dagegen plädierte für prunkvolle Arrangements und wollte mit reichem Dekor nicht nur das Schlößchen, sondern auch die anderen Tempel im Park ausstatten. Die Diskrepanz in den Ansichten der Gartengestalter kam in mancherlei Hinsicht dem Park zugute, in dem Sickingens Ideen, aber auch Herigoyens Handschrift an vielen Beispielen zu erkennen sind.

Es entstand das versteckt im Schatten der Bäume liegende Inventar, das so gut in das von Philosophen und Ästheten erdachte literarische Konzept paßte. Darunter ein „Philosophenhaus", ein „Tempel der Freundschaft", ein „Salettchen", ein „Speisesaal" und ein Schlößchen, das als „kurfürstliches Lusthaus" mit seinen im Louis-Seize-Stil ausgestatteten Räumen der Mittelpunkt galanter Gartenfeste war.

Was Sickingen und Herigoyen begonnen hatten, vollendete der Gartenarchitekt Friedrich Ludwig Sckell, der im Jahre 1785 an den kurfürstlichen Hof berufen wurde. Sckell, der sich als Hofgärtner und Gartenarchitekt in Schwetzingen einen Namen gemacht hatte, ließ Tannen- und Fichtenbestände durchforsten und auflockern. Er war darauf bedacht, auch die Randbereiche des Parks sichtbar zu machen, ließ Schneisen schlagen, die Durchblicke zu fernen Horizonten möglich machten. Es entstand der „klassische Landschaftsgarten", der die Randzonen nicht mehr negiert, sondern einbezieht und dessen Weiträumigkeit grenzenlos erscheint.

waren gewünscht, sondern Blumen und Sträucher sollten sich gemäß der Natur frei und ungehindert entfalten. Kurfürst Friedrich Karl Joseph von Erthal fand an dem neuen Gartenstil Gefallen. Sein Staatsminister, Reichsgraf von Sickingen, der als Gartenliebhaber bekannt war und sich als Gartengestalter Verdienste erworben hatte, unterstützte seinen Landesherrn bei der Gartenplanung. Auf Sickingens Wunsch kam der Architekt Emanuel Josef von Herigoyen an den kurfürstlichen Hof; Herigoyen konnte sich als Schöpfer von Gartenstaffagen nach englischem Muster ausweisen. Die ersten Pläne für einen Landschaftsgarten, der in dem „Nilkheimer Wäldchen", etwa drei Kilometer von der Stadt entfernt, ent-

Nach dem Zweiten Weltkrieg ist der Plan Sckells, den kleinen Park Nilkheim am Main mit dem Schönbusch zu verbinden, verwirklicht worden. Der im Jahre 1811 angelegte Nilkheimer Park, einst im privaten Besitz, ist keine ferne Randstaffage mehr, sondern Teil des Schönbuschs, der sich nun – wie Sckell es sich gewünscht hatte – bis zum Mainufer ausdehnt.

Im Park finden sich nicht nur bekannte Holzarten wie Eichen, Buchen, Birken und Kastanien, sondern auch Götterbäume aus China, japanische Azaleen, Johanniskrautgewächse aus Nepal und Sibirien, Sumpfzypressen und Maulbeerbäume. Die Gestaltung des Gartens ging einst mit den Gedanken der Philosophen konform. Das Erbe ist ein Park der Poesie und der Schönheit, ein Landschaftsgarten, der Naturfreunde und Spaziergänger beglückt und begeistert.

Im Schöntal erblüht in jedem Frühjahr einer der größten Magnolienhaine in Deutschland

One of the largest magnolia groves in Germany blooms in Schoental park every year

Dans le parc de Schöntal fleurit à chaque printemps l'une des plus grandes plantations de magnolias en Allemagne

*Das Schloß Schönbusch, 1778–1782
nach Plänen von Herigoyen erbaut, ist
der architektonische Mittelpunkt des
englischen Landschaftsgartens
Schönbusch*

*Schoenbusch castle built after the
plans of Herigoyen*

*Le château de Schönbusch, édifié de
1778 à 1782 d'après les plans
d'Herigoyen*

Der Freundschaftstempel

The Temple of Friendship

Le Temple de l' Amitié

57

Stadt an der Grenze

Im 19. Jahrhundert wurde dem „Mainzer Erbe" nur noch historische Bedeutung zugeschrieben. Neue Gebiete mußten erschlossen, geeignete Ziele angestrebt werden. Aus der Residenzstadt war eine Grenzstadt geworden, und die Nachteile dieser Wandlung waren nicht zu übersehen. Die gutgemeinte Fürsorge der bayerischen Könige konnte mit den ideellen Bestrebungen der Mainzer Erzbischöfe nicht verglichen werden. Die Monarchen hatten in München alles, was ihnen das Leben angenehm gestaltete und die Verpflichtungen erleichterte. Aschaffenburg konnte nur wenig bieten, was den Vorstellungen der Wittelsbacher entsprach.

Die Bürger, deren Stadt einst Mittelpunkt des kulturellen Lebens war, konnten sich nicht so schnell damit abfinden, daß die Stadt nun als „Letztes Haar im Schwanz des bayerischen Löwen" fungieren sollte. Deshalb entwickelte sich die Stadt schon bald zu einem selbständigen kommunalpolitischen Organ im Untermainkreis, und zwar in einer so autarken Art, daß offiziell von dem Regierungsbezirk Unterfranken *und* Aschaffenburg gesprochen wurde. Die Selbstständigkeit der Stadt auf politischem und wirtschaftlichem Gebiet hatte freilich ihre Grenzen. Die Gesetze des bayerischen Staates mußten akzeptiert werden. Die finanzielle Abhängigkeit von den Ministerien, die für Neuplanungen zuständig waren, erschwerte in der zweiten Hälfte des 19. Jahrhunderts die freie Entfaltung der Stadt, die lokalpolitisch wichtige Institutionen an Würzburg abgeben mußte. Damit war zwar eine Minderung ihres politischen Einflusses verbunden, ihre Bedeutung aber als Stadt an der baycrisch-hessischen Grenze nahm von Jahr zu Jahr zu; der Einfluß der Großstadt Frankfurt und damit verbunden die wirtschaftliche Entwicklung im Rhein-Main-Gcbiet brachten Vorteile, die von der Stadt anerkannt und genutzt werden konnten.

Es entstanden Fabriken und Handwerksbetriebe. Berufe, denen im anbrechenden Industriezeitalter keine Existenz gewährleistet werden konnte, vererbten sich nicht mehr auf nachfolgende Generationen und wurden aufgegeben. Dazu gehörten: Töpfer, Nagelschmiede, Perückenmacher, Schönfärber und Seifensieder.

Was in anderen Städten gleicher Größe noch traditionell weitergeführt wurde, hatte in Aschaffenburg keine Chance mehr, bestehen zu können. Das Vertrauen der Bürger in ihre eigene Zukunft war so stark, daß alle Schwierigkeiten, an denen es nicht mangelte, als überwindbar betrachtet wurden. Es konnten erstaunliche Leistungen auf den verschiedensten Gebieten erreicht werden. Steingut aus der Manufaktur Damm in unmittelbarer Nähe der Stadt wurde berühmt, die Papierherstellung anerkannt, ein Fahrrad aus Holz erfunden, Schmuck der unterschiedlichsten Art hergestellt, und schließlich eroberte sich der „Anzug von der Stange" den Markt. Das alles beeinflußte die neuere Stadtgeschichte und trug wesentlich dazu bei, der Stadt einen besonderen Charakter zu geben. Diese Entwicklung verdrängte aber auch die letzten Reminiszenzen an die kurfürstliche Zeit. Es blieb wenig Raum für Romantik, und von einem „Musenhof" konnte nicht mehr gesprochen werden. Hinzu kam, daß Arbeitssuchende vom Land in die Stadt drängten, hier ihr Auskommen fanden und sich ansiedelten. Eine neue Bürgerschaft entwickelte sich. Der etwas distinguierte Typ des kurfürstlichen Beamten, der in Ruhe seine Pensionsjahre verleben konnte, starb allmählich aus. Spätere Generationen konnten kaum noch begreifen, welche Rolle die Kurfürsten – und später auch Fürstprimas Dalberg – im Leben ihrer Vorfahren gespielt haben.

Die vorteilhafte Entwicklung der Stadt auf wirtschaftlichem, aber auch auf kulturellem Gebiet unterbrach der Erste Weltkrieg. Es folgten Jahre der Entsagung und der Not. Dennoch regenerierte sich das Wirtschaftsleben verhältnismäßig rasch.

Die Hoffnungen der neuen Ära zerstörte der Zweite Weltkrieg, der die Stadt besonders schwer in Mitleidenschaft zog. Der Wiederaufbau nach dem Krieg ist das Ergebnis einer Arbeit, die aus verschiedenen Quellen ihre Impulse holte. Zum einen verpflichtete das „Mainzer Erbe", das der Stadt Schönheit, Ruhm und Freunde in aller Welt garantierte, zum anderen spornten die hervorragenden Ergebnisse der Vorkriegsleistungen zu neuen Taten an. Es gelang nicht nur der Wiederaufbau, sondern es entstand eine moderne Stadt, die auch den pessimistischsten Besucher überrascht: den Traditionen verpflichtet, der Gegenwart verbunden und der Zukunft gegenüber wachsam, aber aufgeschlossen. Eine Stadt, die Freude schenkt, Freundschaften kennt und in der sich die Einheimischen und Gäste geborgen und zu Hause fühlen.

Kampf am Herstalltor im 66er Krieg. Zeitgenössische Zeichnung. Das Herstalltor wurde wegen des zunehmenden Verkehrs wenige Jahre später abgerissen. Lediglich der linke Seitenturm blieb erhalten

Battle at Herstall gate in the "War of 66". Contemporary drawing. Only the left tower remained

Combat près de la porte de Herstall au cours de la guerre de 1866. Dessin d'époque. Aujourd'hui il ne subsiste plus que la tour de gauche

Im Zimmertheater
Intimate theatre
Au Théâtre de poche

Kulturelles Leben

Das historische Erbe der Stadt ist auch heute noch in vielfältiger Weise spürbar. Es präsentiert sich nicht nur in der Chronik, deren Daten alle mit wichtigen Ereignissen für die Stadt verbunden sind, sondern es dokumentiert sich in Formen, deren Kontinuität in anderen Städten gleicher Größe weitgehend unbekannt ist. Allein die Tatsache, daß Aschaffenburg ein Theatergebäude aus dem frühen 19. Jahrhundert besitzt, einen Musentempel, der die Zeiten unverändert überdauert hat, beweist, wie intensiv sich die Stadt einst dem Schöngeistigen widmete und daß sie auf galante Art der Kultur Ausdruck zu verleihen verstand. Das Theater,

1812 von dem Architekten Herigoyen entworfen, war jedoch nur eine jener zahlreichen Unternehmungen, das kulturelle Niveau der Stadt zu beleben.

Zwar war, als das Theater eröffnet wurde, die kurfürstliche Ära längst zu Ende, die politische Struktur hatte sich gewandelt und andere Denkweisen beeinflußten neue Kunstrichtungen. Aber das alles, was einmal das höfische Leben am kurfürstlichen Hof so entscheidend geprägt hatte, war nicht vergessen. Bereits Kurfürst Johann Schweickard von Kronberg hatte sich zu Beginn des 17. Jahrhunderts für die damals schon bestehende Hofkapelle eingesetzt.

Das Stadttheater wurde 1810 im Auftrag von Fürstprimas Dalberg im klassizistischen Stil erbaut. Es wurde Anfang der achtziger Jahre grundlegend renoviert. Zahlreiche in- und ausländische Ensembles sind hier mit Oper, Operette, Schauspiel und Konzert zu Gast

The municipal theatre built by Elector-Prince Dalberg in classic style

Le théâtre municipal, de style classique, a été édifié en 1810 par le Primat de Germanie Dalberg

Die kurfürstliche Hofkapelle

Der geistliche Würdenträger löste die – bis zu seinem Regierungsantritt noch streng im sakralen Rahmen eingeschlossene – Hofmusik aus ihrer engen Tradition, um sie auch bei weltlichen Veranstaltungen einsetzen zu können. Schweickards Musikalität, schon früh erkannt, wurde in seinem Elternhaus geschult und gefördert. Später in Rom, wo er am Collegium Germanicum studierte, konnte er sich der Musik mit noch größerem Interesse widmen. Er lernte den Jesuitenpater Lorentano kennen, den Erneuerer der religiösen Musik im Vatikan. Unter dessen Leitung sang er mit anderen Studenten mehrstimmige Choräle, er übte den Figuralgesang und wurde mit der Kontrapunkt- und der Kompositionslehre vertrautgemacht. Auch an den Universitäten Löwen, Paris und Orleans, wo er seine Studien fortsetzte, verstärkte sich seine Liebe zur Musik mehr und mehr. Inzwischen hatte er sich eine Bibliothek mit entsprechender Fachliteratur zugelegt. Als er im Jahre 1604 vom Mainzer Domkapitel zum Kurfürsten gewählt worden war und das Amt des Reichskanzlers übernommen hatte, gehörte zu seinen ersten Amtshandlungen die Einstellung eines Hofkapellmeisters. Der aus Flandern stammende Musiker Jan le Febure wurde mit der Leitung der Hofkapelle beauftragt. Als der Kurfürst im Jahre 1609 in Aschaffenburg weilte und sich über den Stand der Bauarbeiten am neuen Schloß informierte, war Jan le Febure dabei. Mit ihm und dem Baumeister Georg Ridinger wurden Einzelheiten der Innenausstattung besprochen und die Grundkonzeption für einen Festsaal, der als Konzertsaal genutzt werden konnte, festgelegt. Damals übereignete Febure, der auch ein begabter Komponist war, seinem Herrn und Gönner das Werk „Rosetum Marianum", bestehend aus dreistimmigen Psalmen. Nach dem Tode Febures im Jahre 1612 ernannte der Kurfürst den aus Laibach in Böhmen stammenden Gabriel Plautz zum Hofkapellmeister. Der talentierte und weit über die Grenzen des Kurfür-

stenstaates bekannt gewordene Hofkapellmeister Plautz blieb, trotz der damaligen Neuerungen auf dem Gebiet der Musik, seinem Herrn und der Hofkapelle bis zu seinem Lebensende verbunden. Im Jahre 1622 wurde von der Aschaffenburger Druckerei Balthasar Lipp ein Notenbüchlein von Gabriel Plautz unter dem Titel „Flosculus vernalis" herausgegeben. Die darin enthaltenen Motetten, die Messen mit Introitus, Magnifikat und dem Salve Regina – in fast volksliedhafter Art gehalten – lehnen sich in Aufbau und Klang stark an die Werke von Palästrina und dessen Nachfolger Giovanelli an. Die unterschiedlichen Perioden der Hofmusikpflege sind eng mit den Persönlichkeiten verknüpft, die in Mainz und Aschaffenburg regierten. Es gab einzelne, die das Erbe, das Kurfürst Schweickard hinterlassen hatte, zu bewahren und auszubauen verstanden, andere hingegen widmeten sich vornehmlich anderen kulturellen Bereichen, die mit Musik wenig zu tun hatten.

Die Tafelmusik jedoch war ein nicht mehr wegzudenkender Bestandteil am kurfürstlichen Hof. Im letzten Drittel des 18. Jahrhunderts unternahm die Hofkapelle sogar einige Gastspielreisen und festigte ihren Ruf. Hervorragende Musiker und Komponisten, wie Kreusser, Righini und Franz Xaver Sterkel gehörten ihr an. Im Jahre 1791 war sogar Ludwig van Beethoven eigens nach Aschaffenburg gereist, um sich die Hofkapelle und einige Kompositionen von Sterkel anzuhören.

Doch bald schon griffen die politischen Ereignisse der Zeit zerstörend in das Gefüge des Kurstaates ein und beendeten die kulturellen Bemühungen der Hofkapelle. Im Jahre 1792 eroberten die Franzosen Mainz. Zwar konnte der greise Kurfürst ein Jahr später von Aschaffenburg aus noch einmal in seine Residenz am Rhein zurückkehren, aber in der zerstörten Stadt blieb nur wenig Raum für die „Musik-Liebhaberey", auch wenn die Franzosen in der „Comédie" eine neue Form des Theaters ins Leben gerufen hatten. Im Dezember 1797 verließ der gesamte kurfürstliche Hof endgültig

Mainz. Aschaffenburg wurde Hauptregierungssitz des Kurstaates, letzte Residenz des Kurfürsten Friedrich Karl von Erthal, der hier am 25. Juli 1803 starb.

Die Zeiten, da eine Hofkapelle noch kirchliche und weltliche Feierlichkeiten verschönte, waren vorbei. Zwar verstummte die Musik nicht, aber sie verlor ihren intimen Charakter. Fürstliche Kunstmäzene gab es nicht mehr. Neue Komponisten schufen eindrucksvolle Werke. Felix Mendelssohn-Bartholdy gründete in Leipzig ein Konservatorium, Frédéric Chopin und Robert Schumann unterstützten die romantische Bewegung, und die Großen der Musik, unter ihnen Richard Wagner, Giuseppe Verdi und Giacomo Puccini schufen neue Dimensionen, auf denen später Richard Strauß, Hans Pfitzner und Max Reger – ihre Werke aufbauen konnten.

Konzerte und Theater

Eine Resonanz aus kurfürstlicher Zeit ist dennoch geblieben. So wie einst, als im fürstlichen Konzertsaal und in der Kapelle des Schlosses die Hofmusik spielte, so musizieren zuweilen auch heute noch kleine Ensembles musikverbundener Künstler. Die Aschaffenburger Schloßkonzerte nehmen einen besonderen Rang in der Musikgeschichte Frankens ein.

Bedeutende Orchester, Ensembles und Solisten gastieren mit Vorliebe in der Stadt, die eine so reiche Musiktradition aufzuweisen hat.

Im Stadttheater gastieren bedeutende Ensembles. Die Stadt besitzt aber auch ein Zimmertheater, in dem talentierte Laien, mitunter aber auch professionelle Kräfte, ihr künstlerisches Können unter Beweis stellen.

Mariensäule am früheren Seminargebäude, in dem heute die Fachoberschule untergebracht ist

Column with Mother Mary near the Jesuitenkirche

La colonne de la Vierge à proximité de l'église des Jésuites

Nach den schon erwähnten Veranstaltungen im Stadttheater sowie der Konzerte im Schloß und im Schönbusch fördert sie auch private Initiativen wie die Basilikakonzerte oder die kammermusikalischen Darbietungen im Kreuzgang der Stiftskirche sowie die Schöntalkonzerte. Jeweils lange Zeit ausgebucht ist die ehemalige Jesuitenkirche, die heute als Ausstellungssaal dient und avantgardistische Ausstellungen experimenteller Kunstformen, Arbeiten Aschaffenburger Künstler wie auch die Ergebnisse der Kunsterziehung aus dem musisch-technischen Bereich unserer Schulen zeigt. In dem der Jesuitenkirche benachbarten Arkadenhof finden bei schönem Wetter die Schloßkonzerte bzw. andere musikalische Veranstaltungen statt. Die kirchenmusikalische Umrahmung der christlichen Hochfeste durch die Kirchenchöre zahlreicher Pfarreien der Stadt bietet den Musikliebhabern eine breite Auswahl von Palestrina bis zu Komponisten unserer Zeit. Besondere Höhepunkte setzt der Basilikachor mit den Stiftschorknaben, die bereits in Bonn dem Bundespräsidenten vorsingen durften, und der Mädchenkantorei. Ein Bachchor und der über die Grenzen Aschaffenburgs hin-

Schöntalkonzert   *Concert in Schöntal park*   *Concert au parc Schöntal*

aus bekannte Oratorienchor bringen jährlich Oratorien, große konzertante Messen
oder Kantaten zur Aufführung. Für Lieder-
abende und kammermusikalische Veranstaltungen bietet der Zunftsaal im Schloßmuseum einen besonderen Rahmen.

Ein Glockenspiel im Ostturm des Schlosses kann nicht nur automatisch bedient,
sondern auch von einem Carilloneur be-
spielt werden. Die „Aschaffenburger Gitar-
renwoche" zählt zu den beliebtesten musi-
kalischen Ereignissen eines jeden Jahres.
Der „Aschaffenburger Handglockenchor"
bereichert ebenfalls mit Konzertaufführun-
gen das kulturelle Leben der Stadt und ani-
miert viele Musikfreunde, die Städtische
Musikschule zu besuchen, wo unter anderem das Glockenspiel erlernt werden kann.

Den Freunden historischer und schöngei-
stiger Literatur stehen das Stadt- und Stifts-
archiv im Schönborner Hof, die Hofbiblio-
thek im Schloß und die Stadtbibliothek zur
Verfügung.

Im Schloßmuseum und im Stiftsmuseum
ist die wechselhafte Geschichte der Stadt an
zahlreichen Exponaten ablesbar, und die
Stil- und Ausstellungsräume im Schloß ge-
leiten die Besucher in vergangene Zeiten,
deren Resonanz auch heute noch nicht ver-
klungen ist.

Aschaffenburg heute

Die Stadt in der Region

Die Stadt zählt bei einer Ausdehnung von ca. 62 qkm rund 60000 Einwohner. Als kreisfreie Stadt ist sie den Landkreisen gleichgestellt, nimmt aber auch eine Sonderstellung ein. Ihre Verwaltung erfüllt zwar auch alle staatlichen Aufgaben wie die Landratsämter, doch werden diese Aufgaben in den gemeindlichen Bereich übernommen. In ihrer Entscheidungsfreiheit hat die Stadt einen erheblichen Ermessensspielraum, der lediglich von der Regierung von Unterfranken in Würzburg in Form der staatlichen Rechts- und Fachaufsicht wahrgenommen wird.

An der Spitze der Verwaltung steht der von der Bevölkerung in direkter Wahl gewählte Oberbürgermeister, der gleichzeitig auch Chef der Stadtverwaltung ist. Oberstes Beschlußorgan der Stadt ist der Stadtrat, dessen 44 Mitglieder alle sechs Jahre in den Kommunalwahlen neu bestimmt werden. Die Beschlüsse des Stadtrates und der von ihm eingerichteten Senate werden von der Stadtverwaltung als der zuständigen Behörde ausgeführt.

Eine besondere Situation ergibt sich für die Stadt aus ihrer Lage in der nordwestlichen Ecke Bayerns mit ihren in Jahrhunderten gewachsenen Bindungen und Verbindungen zu dem hessischen Nachbarland. Der Einfluß des Rhein-Main-Gebiets auf Aschaffenburg ist erheblich. Dies betrifft vor allem die wirtschaftlichen Beziehungen, gewährt die Wirtschaft Aschaffenburgs doch einer größeren Anzahl von Pendlern aus dem hessischen Raum einen sicheren Arbeitsplatz. Wegen ihrer räumlichen Entfernung und wirtschaftlichen Eigenständigkeit wurde 1971 das Untermaingebiet zur Planungsregion „Bayerischer Untermain" zusammengefaßt, die die Stadt Aschaffenburg sowie die Landkreise Aschaffenburg und Miltenberg umfaßt. Die Stadt Aschaffenburg bildet dabei den Mittelpunkt dieser Region, in der sie die Funktionen eines zukünftigen Oberzentrums mit den dazugehörigen politischen, kulturellen und wirtschaftlichen Institutionen einnimmt.

Diese Region „Bayerischer Untermain" ist zwar die kleinste der 18 Bayerischen Regionen nach Größe, Einwohnerzahl und Anzahl der Gemeinden, jedoch an dritter Stelle nach Bevölkerungs- und Industriedichte nach München und der Industrieregion um Ansbach. Vor allem die Industriedichte übt auf den angrenzenden Wirtschaftsraum um Darmstadt, Frankfurt, Offenbach und Hanau eine große Anziehungskraft aus.

Die Zahl der Erwerbstätigen in Aschaffenburg überstieg Ende 1984 die Zahl 40000. Davon entfielen auf den industriellen Bereich ca. 11000, auf das Handwerk ca. 7400 und auf den Handel und Verkehr ca. 10000 Beschäftigte.

Diese Zahlen zeigen am besten das Spannungsverhältnis zwischen dem industriell und gewerblich geprägten Wirtschaftszentrum Aschaffenburg und den großen zusammenhängenden Naherholungsgebieten des Spessart und des Odenwald auf. Um Zersiedlung und unkontrollierte industrielle Ansiedelungen u. a. in ausgewiesenen Erholungsgebieten zu vermeiden, wird im sog. Regionalplan auch Sorge dafür getragen, daß der Bevölkerung diese Naherholungsgebiete erhalten bleiben.

Als Mittelpunkt der Region Bayerischer Untermain verfügt Aschaffenburg über eine Reihe von Institutionen, die über die Stadt hinaus Bedeutung besitzen. So gibt es hier ein Amts- und Landgericht, ein Finanzamt und ein Arbeitsamt. Weitere überörtliche Behörden sind das Kreiswehrersatzamt und das Verteidigungskreiskommando, das Wasser- und Schiffahrtsamt und das Zollamt sowie der Technische Überwachungsverein (TÜV) und das Technische Hilfs-

Die Willigisbrücke
The Willigis Bridge
Le pont Willigis

werk. Ebenso hat das Landratsamt als Aufsichtsbehörde des Landkreises in Aschaffenburg seinen Sitz. Zahlreiche weitere Bundes- und Landesbehörden, deren Aufgabenbereich weit über die Grenzen der Stadt hinausreicht, haben in Aschaffenburg ihre Dienststelle. Auch die wichtigsten Selbstverwaltungsorgane der Wirtschaft finden sich hier, so die Industrie- und Handelskammer, die Handwerkskammer sowie der lokale Vorstand der Arbeitgeberverbände. Das DGB-Haus ist die Zentrale der Vertretung der Arbeitnehmerinteressen am Bayerischen Untermain.

Die Schulen

Eine der wichtigsten kommunalen Aufgaben der Stadt bildet der Schul- und Bildungsbereich. Aschaffenburg hat eine Schultradition, die weit in die kurmainzische Zeit zurückreicht. Im Jahre 1620 gründete der Mainzer Kurfürst Johann Schweikkard von Kronberg, der Erbauer des Schlosses Johannisburg, eine höhere Schule, die in zwei Lateinklassen Schüler auf den Priesterberuf im Erzbistum Mainz vorbereiten sollte. Die Leitung dieser Schule wurde den Jesuiten anvertraut, die diese in der zweiten

Das Martinushaus, das kirchliche Bildungszentrum am bayerischen Untermain

The Martinshaus, a church cultural centre on the Lower Main

Le Martinushaus   Le centre culturel du Main inférieur

Hälfte des 18. Jahrhunderts in weltliche Hände abgeben mußten. In den Jahren 1808 bis 1814 unterhielt diese Schule, das Humanistische Gymnasium, enge Verbindungen zur Aschaffenburger Karls-Universität. Von 1814 bis 1873 war dem Gymnasium ein Lyzeum angegliedert, in dem als letztem Rest der einstigen Karls-Universität noch Philosophie und Theologie gelehrt wurden. 1944 wurde die Schule durch Bombenangriffe völlig zerstört und zog nach dem Krieg von ihrem angestammten Platz in der Pfaffengasse in das Gebäude des musischen Gymnasiums in der Grünewaldstraße um.

Nach mehr als zwanzig Jahren konnte 1968 der großzügige Neubau der traditionsreichen Schule, die sich seit 1965 Kronberg-Gymnasium nennt, bezogen werden. Der altsprachlichen Sektion wurde ein neusprachlicher Zweig angefügt, den in der Kollegstufe derzeit ca. dreiviertel aller Schüler besuchen.

Das Institut der Englischen Fräulein ist seit 1748 in Aschaffenburg zu Hause. Dieser Orden verstand seine Aufgabe von jeher darin, den Mädchen in der Stadt, deren Ausbildung weder von kirchlichen noch von staatlichen Stellen besonders betrieben wurde, zu einer gediegenen Schulausbildung zu verhelfen. Im 19. Jahrhundert erweiterten die Englischen Fräulein ihr Ausbildungsangebot auf den gesamten hauswirtschaftlichen Bereich. Aus der ehemaligen höheren Töchterschule (seit 1830) entwickelte sich schließlich das heutige Gymnasium der Englischen Fräulein an der Brentanostraße.

Das Friedrich-Dessauer-Gymnasium entstand in seinen Ursprüngen als Aschaffenburger Gewerbeschule, die 1833 auf ein Edikt König Ludwigs I. von Bayern errichtet wurde. 1877 wurde sie in eine königliche Realschule umgewandelt; nach der Jahrhundertwende wurde sie zur Oberrealschule und damit den Gymnasien gleichgestellt. Ihr Schwerpunkt liegt auch heute noch im naturwissenschaftlichen Bereich, auch wenn ihr in den 60er Jahren ein neusprachlicher Zweig angefügt wurde. Ab 1965 trägt diese Schule ihren heutigen Namen. Seit 1968 befindet sich das Friedrich-Dessauer-Gymnasium im neugeschaffenen Schulzentrum jenseits des Mains.

Nach der Auflösung des erwähnten Lyzeums 1873 wurde aus dem Stiftungsfonds 1875 eine höhere Töchterschule und ein Lehrerinnenseminar gegründet. Letzteres sollte in einem viersemestrigen Kurs angehende Lehrer auf ihren Beruf vorbereiten und bestand als Lehrerbildungsanstalt bis 1956, wurde dann aber in bestehende pädagogische Hochschulen integriert. Die „Höhere weibliche Bildungsanstalt" wurde 1950 in ein Deutsches Gymnasium mit sieben Jahrgangsstufen umgewandelt. Heute verfügt diese Schule, die in der Grünewaldstraße beheimatet ist, über ebenfalls neun Jahrgangsstufen mit Schwerpunkt der Ausbildung im musischen Bereich und nennt sich, ebenfalls seit 1965, Karl-Theodor-von-Dalberg-Gymnasium.

Ca. 5000 Schüler besuchten 1980/81 die insgesamt 17 Volksschulen der Stadt sowie die vier Sonderschulen für lernbehinderte, sprachbehinderte und körperbehinderte Kinder. Für die berufliche und weiterführende Ausbildung gibt es eine ganze Palette verschiedener Schulformen. Die drei Real-

Die Fußgängerzone wurde 1973 angelegt

The pedestrian area built in 1973

La zone piétonnière a été aménagée en 1973

schulen vermitteln mit dem Abgang nach der 10. Jahrgangsstufe die Mittlere Reife; Berufsschulen, Berufsaufbauschulen, Sprachschulen und Fachschulen für berufsspezifische Bereiche (z. B. für Bekleidungstechniker), die Fachoberschule und Akademien bieten vielfältige Möglichkeiten zu einer optimalen schulischen Berufsausbildung. Großen Anklang hat die nach dem Krieg wiederbegründete Musikschule gefunden. Die Volkshochschule bietet im Rahmen der Erwachsenenbildung ein breites Lehrprogramm. Fast 20 000 Hörer besuchen die mehr als 700 Kurse und Einzelveranstaltungen der Aschaffenburger Volkshochschule. Als kirchliches Bildungszentrum mit seinen Kursen und Vortragsserien hat das Martinushaus seinen festen Platz.

Sanierung der Innenstadt

Einen weiteren Schwerpunkt kommunaler Tätigkeit bildet heute die Sanierung der Altstadt von Aschaffenburg. Bereits in den 50er und 60er Jahren wurde damit begonnen, die Innenstadt von dem rapide zunehmenden Durchgangsverkehr zu entlasten und Umgehungsmöglichkeiten des Stadtkerns zu schaffen. Aus diesen Jahren datiert der Generalverkehrsplan der Stadt Aschaffenburg, der die Erstellung einer Ringstraße um den gesamten Innenstadtbereich vorsieht und der im Westen, Süden und Norden bereits zum größten Teil Wirklichkeit geworden ist. Eine große Zäsur in dem Konzept der Altstadtsanierung bildet die im Jahre 1973 erstellte Fußgängerzone, die die ehemalige Hauptader des Durchgangsverkehrs, die Herstallstraße, sowie die benachbarten Steingasse, Roßmarkt und Sandgasse umfaßt. In den nachfolgenden Jahren war es zentrales Anliegen der Stadtplanung, dem innerstädtischen Bereich neue Nutzungsfunktionen zu geben, die den Bedürfnissen der Bevölkerung am nächsten kamen. In zunehmenden Maße siedelten früher hier ansässige Industrieunternehmen in Gebiete am Stadtrand um, wo ihnen mehr

Fläche für eine Expansion zur Verfügung steht. Für die zurückbleibenden Gebäude und Flächen mußten neue Funktionen gefunden werden, wollte man nicht die Innenstadt ausbluten lassen. So wurde und ist es zentrales Anliegen der Stadtplanung, den Innenstadtbereich durch kulturelle Angebote und durch ein umfassendes Wohnungsangebot für die Bevölkerung wieder attraktiv zu machen. Die Stadt hat in den vergangenen Jahren zahlreiche Baulücken durch interessante Wohnbauten geschlossen. Das größte Vorhaben dieser Art stellt die derzeit geplante Bebauung auf dem Gelände der ehemaligen Oberrealschule an der Alexandrastraße dar. Ca. 80 Wohnungen mit einer öffentlichen Tiefgarage sollen einen städtebaulich wenig schönen Anblick bald vergessen lassen.

Im Rahmen der Stadtsanierung hat die Gestaltung des Areals um das Schloß eine besondere Priorität. Die schon erwähnte Volkshochschule fand in dem aufwendig restaurierten Gebäude am Marktplatz ihre endgültige Heimstatt. In absehbarer Zukunft soll auf dem bisher als Parkplatz genutzten Gelände an der Luitpoldstraße eine repräsentative Stadthalle mit einem großen und mehreren kleineren Sälen und angebundener Tiefgarage entstehen. Kongresse und Veranstaltungen von Vereinen, Firmen sowie große Orchesterkonzerte und Opernaufführungen, die eine große Bühne benötigen, sollen hier in Zukunft stattfinden und der Stadt neue kulturelle und wirtschaftliche Impulse geben. Eine völlige Neugestaltung des Marktplatzes soll eine gelungene städtebauliche Verbindung zwischen dem historisch gewachsenen Bestand um das Schloß und die Jesuitenkirche mit der geplanten Stadthalle schaffen. Mit all diesen Maßnahmen sollen Handel und Gewerbe, das kulturelle Angebot und die vielfältigen Möglichkeiten attraktiven Wohnens in der Innenstadt zu einem Gleichgewicht in dem innerstädtischen Nutzungsgefüge gebracht und somit die „urbane Qualität eines lebendigen Stadtkerns wieder hergestellt werden."

Der Hafen

Aschaffenburg hat während der vielen Jahrhunderte seiner Geschichte die Bindegliedfunktion einer Stadt an der Grenze, nämlich des Rhein-Main-Gebietes und Frankens, ausgeübt. Dies zeigt sich insbesondere an seiner wirtschaftlichen Entwicklung. Der Binnenschiffahrtshafen ist neben dem Hafen von Regensburg der bedeutendste in Bayern. Hier werden jährlich über 800000 Tonnen an Gütern aller Art umgeschlagen. Durch die Verknüpfung der wichtigsten Gütertransportwege wie Wasserstraße, Straßen und Schiene hat der Hafen für die Verteilung von Gütern und die Versorgung der Aschaffenburger Wirtschaft und des Hinterlands eine besondere Bedeutung. Hier verbinden sich Transport und Verkehr, Lagerung und Güterumschlag, Produktion, Handel und Verteilung auf ideale Weise. Mit der künftigen Fertigstellung des Rhein-Main-Donau-Kanals dürfte die Bedeutung des Aschaffenburger Hafens noch weiter zunehmen.

Die Industrie

Die wirtschaftliche Situation der Stadt befindet sich seit Jahrzehnten in einem tiefgreifenden Wandel. Der Anteil der industriellen Fertigung ist seit langem rückläufig (von 51,3 % im Jahr 1970 auf 42,8 % im Jahr 1980), während der Dienstleistungsbereich eine erhebliche Ausweitung erfahren hat (von 48,6 % auf 57 % im gleichen Zeitraum). Dies liegt nicht zuletzt daran, daß die Stadt Aschaffenburg schon viele Funktionen eines zukünftigen Oberzentrums an sich gezogen hat und im Dienstleistungsbereich in zunehmenden Maße den Kreis Aschaffenburg und die Region versorgt. Zusätzlich haben die ehedem beiden wichtigsten Industriezweige Aschaffenburgs, die Papierherstellung und die Bekleidungsindustrie, Strukturkrisen erlebt und sind in ih-

rer Bedeutung hinter den Maschinenbau und den Straßenfahrzeugbau zurückgetreten. Im allgemeinen kann man in Aschaffenburg eine zunehmende Entwicklung der Investitionsgüterindustrie gegenüber der Konsumgüterindustrie feststellen. Dieser Tendenz hat auch die Regionalplanung Rechnung getragen, indem sie für die gewerbliche Wirtschaft in Aschaffenburg die Ansiedlung neuer Industriebetriebe zur Stabilisierung des industriellen Arbeitsplatzangebots fördert. Nach dem Maschinenbau, dem Straßenfahrzeugbau und der Bekleidungsindustrie steht die Industriegruppe „Optik, Feinmechanik und Uhrenindustrie" an vierter Stelle der industriellen Fertigung. Die Feinmechanik bietet heute anstelle einfacher Standardmeßwerkzeuge hochkomplizierte Meßapparaturen, die häufig als Einzelanfertigung für Sonder-

wünsche von Abnehmern im In- und Ausland angefertigt werden. In der optischen Industrie finden sich Betriebe mit Spezialpatenten für die Erstellung von Kontaktlinsen, die ihre Produkte in fast alle Länder der Erde exportieren. Als fünfter strukturbestimmender Industriezweig ist noch die Druckindustrie zu nennen, die neben Zeitungsdruck im Rollenoffset eine Reihe von Druckereien umfaßt, die vornehmlich im Akzidenzgeschäft (Druck von Broschüren, Plakaten, Kunstdrucken und Erstellung von Büchern) tätig sind.

In den genannten fünf Industriezweigen sind mehr als 80 % aller in der Industrie tätigen Personen beschäftigt. 1982 erwirtschafteten die über 11 000 Beschäftigten in der Industrie ein Umsatzvolumen von 1,4 Milliarden Mark, wobei ca. 400 Millionen Mark durch den Export erzielt wurden.

Das Handwerk

Das Handwerk ist einer der Hauptträger mittelständischer Wirtschaft in Aschaffenburg. Eine Menge kleiner und mittlerer Betriebe trägt zur Versorgung der Bevölkerung mit Produkten und Dienstleistungen bei. Strukturelle Änderungen haben sich im Aschaffenburger Handwerk leichter und ohne schmerzliche Verluste vollzogen wie etwa in der Industrie. Die technische Entwicklung hat aus alten angestammten

Handwerkszünften neue Berufe entstehen lassen. So wurde aus dem Schmied der Landmaschinenmechaniker, aus dem Wagenbauer der Karosseriebauer u. ä. Völlig neue Handwerksberufe entstanden z. B. in der Installationstechnik. Kennzeichnend für das Handwerk ist die hohe Zahl gut ausgebildeter Fachkräfte sowie die Kundennähe der Betriebe, z. B. im Kraftfahrzeughandwerk. Die schnelle Anpassungsfähigkeit des Handwerks an die Wünsche des Verbrauchers haben sektoral mehrere Handwerksgruppen entstehen lassen. Dazu zählen Bereiche wie Metall, Bauhandwerk, Bekleidung, Nahrung und Gesundheitspflege sowie Glas, Papier, Keramik und die Holzverarbeitung. Rund 750 Handwerksbetriebe mit ca. 7400 Beschäftigten aus diesen Bereichen sind in Aschaffenburg ansässig. Schwerpunkte sind vor allem im technisch-produzierenden Bereich die Maschinenbauer, Werkzeugmacher und die Feinmechaniker. Gerade hier wurde eine kundenbezogene Spezialisierung erreicht, die zu vielfältigen Geschäftsbeziehungen in andere Länder und Kontinente geführt hat.

Einen speziellen Sektor des Handwerks stellt die Tätigkeit zur Erhaltung kultureller Baudenkmäler dar. Aschaffenburg unterhält eine Steinmetzschule, deren Hauptbetätigung in den vergangenen Jahrzehnten in der Wiederherstellung ungezählter Verschlußsteine und Ziergiebeln des Schlosses, vieler Kirchen und profaner Gebäude in der Stadt lag.

◄ ►

Das Einkaufszentrum City Galerie mit vier Kaufhäusern und über 40 Facheinzelhandelsgeschäften, voll überdacht und klimatisiert, stellt den Mittelpunkt des Handels in Aschaffenburg dar. Rund 20 000 Menschen kommen täglich, um hier einzukaufen

The shopping mall City-Galerie with its four department stores and over 40 shops is one of the trade centers in Aschaffenburg. Around 20,000 people come here daily to do their shopping

La galerie marchande »City Galerie«, entièrement couverte et climatisée, constitue, avec ses quatre grands magasins et plus de 40 commerces de détail, le centre de la vie commerciale d'Aschaffenburg. Tous les jours 20.000 personnes viennent y faire leurs achats

Der Handel

Auch der Handel in Aschaffenburg hat sich in den 60er und 70er Jahren einem tiefgreifenden Strukturwandel unterziehen müssen. Hatte früher das Einzugsgebiet der Stadt aufgrund der historischen Vergangenheit als Residenzstadt des ehemaligen Mainzer Oberstifts den Spessart sowie Teile des Odenwalds und des Kinzigtals ziemlich konkurrenzlos umfaßt, so haben sich gerade in den 70er Jahren hier grundlegende Änderungen ergeben. Die zunehmende Anzahl von Märkten und Selbstbedienungswarenhäusern auf der „grünen Wiese" ließen immer mehr Kaufkraft aus der Stadt abfließen, bis 1973 mit dem Bau der Fußgängerzone im Innenstadtbereich und 1974 mit der Errichtung eines der damals größten überdachten und vollklimatisierten Einkaufszentren in Mitteleuropa, der „City-Galerie", dieser Entwicklung Einhalt geboten wurde. Dieses Einkaufszentrum, das auf einer gewerblichen Nutzfläche von 44000 qm vier Warenhäusern und ca. 45 Einzelhandelsgeschäften Platz bietet, war eines der ersten Zentren im innerstädtischen Bereich und somit gleichsam eine Stadtkern-Erweiterungsmaßnahme. Das zur City-Galerie gehörende Bürohochhaus beherbergt u. a. einen Teil der Finanzbehörde. Insgesamt sind in der City-Galerie etwa 1000 Personen beschäftigt. Mit diesem Einkaufszentrum wurden zwei handelspolitische Ziele angestrebt: Der innerstädtische Handel mit Fußgängerzone, Einkaufszentrum und den Randgebieten sollte in seiner Attraktivität erhöht sowie Kaufkraft, die bisher zu anderen Städten und zu Märkten auf der grünen Wiese abfloß, wieder in erhöhtem Maße nach Aschaffenburg gelenkt werden.

Der gewünschte Erfolg stellte sich ein. Die Ausdehnung der Geschäftsflächen, die Neugestaltung der Innenstadt sowie das in den Handel integrierte Einkaufszentrum brachten der Stadt eine Stärkung ihres urbanen Charakters. Mit der Zunahme großflächiger Geschäfte, moderner Ladenfronten und einer wachsenden Sortimentstiefe, vor allem im Möbel-, Textil- und Lebensmittelbereich, stieg die Anzahl der Geschäfte, die über die Grenzen der Stadt hinaus Verbraucher anzog. So bringt der Handel über die Distribution seinen Teil an der Funktion eines zukünftigen Oberzentrums Aschaffenburg. Ca. 600 Betriebe mit etwa 5400 Beschäftigten haben 1982 einen Umsatz von annähernd 700 Millionen Mark erzielt.

Sport und Freizeit

Mehrere Millionen Mark werden jährlich für die Sportförderung im Etat der Stadt ausgewiesen. Diese Beträge werden entweder für stadteigene Anlagen eingesetzt oder fließen den Vereinen als zweckgebundene Zuschüsse zu. Eine Veröffentlichung der Stadtverwaltung aus dem Jahre 1982 „Unsere Stadt Aschaffenburg" nennt folgende Sportarten, die in Aschaffenburg betrieben werden können: Angeln, Auto-Cross, Badminton, Basketball, Bergsteigen, Billard, Bowling, Boxen, Eishockey, Eiskunstlauf, Eisstockschießen auf Eis- und Asphaltbahnen, Faustball, Fechten, Fliegen (Motor- und Segelflug), Fußball, Gewichtheben, Golf, Gymnastik, Handball, Jiu-Jitsu, Judo, Kanusport, Karate, Kegeln, Kendo, Kunstradfahren, Leichtathletik, Minigolf, Motorbootfahren, Motorradsport, Radball, Radfahren, Reiten, Rhönradfahren, Ringen, Rollschuhlaufen, Rudern, Schach, Schießen, Schwimmen, Segeln, Skilauf, Squash, Taek-won-do, Tanzen, Tennis, Tischtennis, Trampolinspringen, Turnen, Volleyball, Wandern, Wasserski, Windsurfen, Zehnkampf.

Von den über 70 Sportvereinen können hier nur wenige genannt werden. Der an Mitgliedern größte Verein, der Turnverein Aschaffenburg (TVA) 1860, ist zugleich der älteste der Stadt. Ausgedehnte Sportanlagen und eine vereinseigene Dreifachturnhalle ermöglichen ein großes Angebot an Leistungs- wie Breitensport. In verschiedenen Disziplinen haben Mitglieder des Ver-

AB5597

eins in überregionalen Wettkämpfen bzw. in Begegnungen auf Bundesebene die Siegestrophäe für ihren Verein nach Aschaffenburg gebracht. Die Volleyballmannschaft der Männer spielt derzeit in der 2. Bundesliga. Der zweitgrößte Verein, der Schwimm-, Ski- und Kanuclub Poseidon oder kurzgefaßt SSKC setzt heute vier Schwerpunkte: Wassersport, Wintersport, Basketball und Tennis. In der Kombination Tennis/Ski brachte ein Sportler kürzlich den Vizeweltmeistertitel nach Hause.

Den höchsten Aufmerksamkeitsgrad erzielte 1985 der Sportverein „Viktoria 01". Der Fußballmeister der Oberliga Hessen stieg in die 2. Fußball-Bundesliga auf.

Zu einer Ringer-Hochburg hat sich der Stadtteil Damm entwickelt. Die Athleten des SV „Einigkeit 05" messen ihre Kräfte seit Jahren in der Bundesliga. Zahlreiche Meisterschaften, sowohl auf hessischer wie auf deutscher Ebene, bringen den Verein immer wieder in die Schlagzeilen. Auch in internationalen Wettkämpfen sorgen Dämmer Ringer für Furore. Fritz Gerdsmeier kämpfte sich während der Olympischen Spiele in Los Angeles 1984 bis auf den sechsten Platz.

Kegeln nimmt in Aschaffenburg nicht nur als Breitensport einen großen Raum ein. Die Turn- und Sportgemeinschaft 1863 Damm kann auf eine Kegel-Bundesligamannschaft verweisen.

Im Turnverein 1885 Schweinheim hat das Bundesligateam der Billardspieler die meisten Trophäen gewonnen und neben mehreren Deutschen Meisterschaften sogar einen dritten Platz bei Europatitelkämpfen errungen.

Auf eine lange Tradition kann der Ruderclub Aschaffenburg von 1898 zurückblicken. In allen olympischen Bootsklassen rudert der RCA 1898 heute auf dem Main. Größter Erfolg der Sportler war der Gewinn des begehrten Pokals des Bayerischen Löwen.

Neben dem Sportbereich hat die Freizeitbeschäftigung in den vergangenen Jahren in Aschaffenburg große Bedeutung gewonnen. Vier Vereine sorgen dafür, daß die fünfte, die närrische Jahreszeit, den Aschebergern viel Anlaß zum Schunkeln, Singen und närrischem Treiben im Fasching gibt. Es sind dies der Carnevalsclub Concordia (CCC), die Stadtgarde, der Aschaffenburger Carnevalsverein (ACV) und der Karnevalsklub Kakadu (KKK), die alljährlich im Januar und Februar durch ihre großen Prunkfremdensitzungen ungezählte Anhänger der Ascheberger Fastnacht begeistern. Höhepunkt des närrischen Treibens bildet der große Fastnachtsumzug am Faschingssonntag. Darüber hinaus gestaltet die Stadtgarde an drei Wochenenden im Juli das über die Grenzen der Stadt hinaus bekannte Kippenburgfest, das mit Blasmusik, Bier, „Worscht und Weck" zu einem beliebten Ausflugsziel geworden ist.

◄

Wassersport ist eine der beliebtesten Sportarten in Aschaffenburg

Aquatic sports are favourites in Aschaffenburg

Les sports nautiques ont de nombreux adeptes à Aschaffenburg

Die Dammer Ringer von „Einigkeit 05". – Unten: Viktoria Aschaffenburg spielt vor vollbesetzten Tribünen ►

Team members of the "Unity 05". – Below: "Victoria Aschaffenburg" team playing to a packed stadium

Les Lutteurs de Damm »Unité 05« ci-dessous. Le club de football »Victoria Aschaffenburg« joue devant les tribunes au complet

Die Eissporthalle ist das jüngste Glied im Ensemble der Sportanlagen jenseits des Mains ►►

The ice skating rink is the latest sport facility near the Main river

Le hall de patinage est la réalisation la plus récente du complexe sportif sur l'autre rue du Main

Der Spessart

In der Reihe der Mittelgebirgslandschaften nimmt der Spessart einen besonderen Platz ein. Er gilt als eines der größten zusammenhängenden Waldgebiete Mitteleuropas. Direkt anschließend an die östlichen und nördlichen Vororte Aschaffenburgs, ist er das wichtigste Naherholungsgebiet für die Bevölkerung; nach wenigen Kilometern befindet sich der Wanderer an einem Ort der Stille und des Friedens, wie dies nur noch wenige Flecken in unserer Heimat bieten. Er fühlt sich gleichsam in einem hohen und weiten Dom, nur umgeben vom Rauschen der Blätter und dem Knacken der Zweige unter seinen Füßen. Was Wunder, daß der Spessart in ungezählten Liedern und Gedichten, in Geschichten und Erzählungen den farbigen Hintergrund abgab, vor allem für die Dichter der Romantik. Weltbekannt wurde Wilhelm Hauffs „Wirtshaus im Spessart", eine sagenumwobene Schänke, in der man vor Überfällen durch Räuberbanden nicht sicher war. 1959 fiel das Gebäude für den Neubau der Spessartautobahn der Spitzhacke zum Opfer.

Herbststimmung im Spessart

Autumn in Spessart

L' Automne au Spessart

Der Spessart, begrenzt von den Flüssen Main, Sinn und Kinzig, war schon in römischer Zeit ein fast undurchdringliches Gebiet, das die Römer nicht mehr in ihren Limes einbezogen. Vielleicht haben Kaufleute in jener Zeit den Spessart durchquert, von Hanau ausgehend und wegen der undurchdringlichen und versumpften Täler sich nur auf den Hügeln haltend. Zwei große Handelswege hatten sich später im Laufe der Jahrhunderte herausgebildet: Die sog. Birkenstainer Straße, im 17. Jahrhundert als Poststraße zwischen Frankfurt und Würzburg angelegt, führte auf dem kürzesten Wege vom Tal der Kinzig zur Wasserscheide zwischen Kinzig und Kahl hinauf, dann zum alten Zollhaus „Bayerische Schanz" und zur Hermannskoppe und schließlich wieder hinunter nach Gemünden. Als Nord-Süd-Verbindung diente im Mittelalter der „Eselsweg", so benannt nach den Eseln, die von den Salinen in Orb das Salz über den Rücken der Spessartberge bis hinunter nach Mönchberg und Miltenberg brachten.

Schon immer war der Spessart sehr stark von einem Laubmischwald geprägt. Vorherrschend war der umfangreiche Eichenbestand; dazu traten Linden, Ulmen, Ahorn und schließlich, nachdem das Klima feuchter wurde, die Rotbuche. Während sich der Wald über die Hänge und Bergkuppen hinzog, machten Bruchwald und Sümpfe die Niederungen und Täler kaum passierbar. In solch unzugänglichem Terrain gediehen Wildschweine und Rotwild prächtig, hatten Bär, Wisent und Auerochs ihr Zuhause. So galt der Spessart denn auch bei den fränkischen Königen und Adeligen als ideales Jagdrevier.

Durch die Schenkung Herzog Ottos von Schwaben fielen neben Aschaffenburg auch große Teile des Spessarts an das Kollegiatstift St. Peter und Alexander und kamen somit 982 an das Erzstift Mainz. Im Laufe der Jahrhunderte wurde der Spessart auch bei den Mainzer Kurfürsten beliebtes Jagdrevier. Mit den hoheitlichen Ansprüchen über den Spessart ergaben sich Konflikte mit den Grafen von Rieneck, welche sich als weltliche Schutzherren des Spessarts fühlten und bei Eschau die Burg Wildenstein ihr eigen nannten. Im Jahre 1271 waren die Auseinandersetzungen endgültig zugunsten von Mainz entschieden.

Die zunehmenden kurfürstlichen Jagdgesellschaften sowie die hoheitliche Übernahme des Spessarts führten zur Ansiedlung der benötigten Hilfskräfte vor allem in den Gegenden des Spessarts, wo sich die Kurfürsten Jagdschlößchen erbauten bzw. wo der kurfürstliche Forstmeister amtierte und die Amtleute ihren Sitz hatten. Erste geschlossene Siedlungen waren die sog. Jagdfrondörfer, deren Bewohner bei den erwähnten Jagdunternehmen Hilfsdienste leisten mußten. Im 14. Jahrhundert wurde der Spessart von Kurmainz erfaßt; Adelige, die in Diensten des Erzstifts standen, wurden im Spessart mit sog. Forst- oder mit Bachhuben belehnt, erhielten also Land bzw. Fischereigerechtigkeiten und unterstanden als Hübner dem Forstmeister des Spessarts in Rothenbuch. Unter diesen belehnten, adeligen Familien finden wir auch die Grafen von Hanau und die Echter von Mespelbrunn. Kurfürstliche Jagdschlößchen gab es u. a. in Rothenbuch, Rohrbrunn und Wiesen. Die dort ansässige Bevölkerung erhielt vom Kurfürsten jedoch kein Land zur eigenen Verfügung, wie auch im gesamten übrigen Spessart nicht. Dies war einer der Gründe, daß zwar das große zusammenhängende Waldgebiet des Spessarts erhalten blieb, andererseits die Spessartbewohner in bittere Armut gerieten.

Im 14. Jahrhundert rief der Kurfürst Glasbläser in den Spessart; den dortigen Bewohnern gestattete er nicht, aus eigenen Stücken und zum eigenen Frommen diese Kunst auszuüben. In der Folge entstanden eine Reihe von Glashütten, so Heigenbrükken, Habichtsthal und Wiesthal. Mit dem Aufblühen der Glasmanufakturen ging gleichzeitig ein Raubbau im Spessart einher, weil zur Glasherstellung große Mengen an Holz benötigt wurden. Nachdem sich die

Das Wasserschloß Mespelbrunn ist die touristische Attraktion im Spessart

The moated castle of Mespelbrunn is the main tourist attraction of Spessart

Le château de Mespelbrunn est l' attraction touristique du Spessart

84

Glasbläser im Bauernkrieg auf die Seite der aufständischen Bauern geschlagen hatten, zog Mainz den Betrieb in den Glashütten an sich. Bis in die Endzeit der kurmainzischen Herrschaft Ende des 18. Jahrhunderts hielt sich die Glaserstellung im Spessart, bis sie schließlich fremder Konkurrenz weichen mußte. Ersatz hierfür bot die wachsende Produktion von „Eisenhämmern", mit denen Alteisen besonders gut geschmiedet werden konnte. Bis ins 19. Jahrhundert erhielt sich dieser Industriezweig, aus dem u. a. die Eisenwerke Laufach hervorgegangen sind. Diese wirtschaftlichen Betätigungen, zusammen mit Kupfer- und Erzabbau, führten dazu, daß um 1800, wie ernstzunehmende Quellen belegen, rund ein Drittel des Spessarts Ödland war. Im 19. Jahrhundert erfolgte eine großzügige Aufforstung, allerdings vornehmlich mit schneller wachsenden Fichten, was zu einem Mischwald aus Laub- und Nadelhölzern führte, wie wir den Spessart noch heute kennen. Eiche ist der wertvollste Bestand im Spessart. Die Bäume wachsen langsam und sind erst nach etwa 250 bis 300 Jahren hiebreif. Kurfürst Schweickard von Kronberg bezahlte einen Teil seines Aschaffenburger Schloßbaus mit Eichenstämmen aus dem Spessart. Napoleon hatte schon einen Gutteil des Bestandes für den Bau von Kriegsschiffen zur Eroberung Großbritanniens reserviert. Sein Sturz erhielt uns den Eichenwald im Spessart.

Glashütten und Eisenhämmer wurden in der zweiten Hälfte des 19. Jahrhunderts abgelöst von der Heimarbeit für die Kleiderfabriken, die um diese Zeit in großer Zahl in Aschaffenburg entstanden und sich schließlich auch in mehreren Spessartdörfern ansiedelten. Ansonsten mußten die Leute aus dem Spessart ihre Arbeit in der Stadt suchen. Aschaffenburg war es, das ihnen Beschäftigung in den Fabriken, in den Handwerks- und Handelsbetrieben, aber auch zunehmend im Dienstleistungsbereich gab.

In jüngster Vergangenheit hat der Fremdenverkehr eine zunehmende Rolle gespielt, als nach dem 2. Weltkrieg der Spessart endgültig verkehrsmäßig erschlossen wurde. Die Autobahn Frankfurt – Würzburg durchschneidet den Spessart in einer Diagonalen von Nordwest nach Südost und läßt den Reisenden von Rohrbrunn aus in wenigen Minuten zum Wasserschloß Mespelbrunn gelangen. Mehr als hundert Waldparkplätze laden den Besucher ein, das Auto abzustellen und auf den zahlreichen Waldwegen sich den Spessart zu erwandern. Der Spessartbund sorgt durch genaue Wegemarkierungen und durch die Anlage von Lehrpfaden dafür, daß der Wanderer nicht in die Irre geht. So groß ist dieses Erholungsgebiet, daß man weitab vom Trubel und Tourismus die Stille des Waldes genießen kann.

Der Spessart ist kein hohes Gebirge; Rhön und Schwarzwald übertreffen ihn an Höhe bei weitem. Selten hat man einen weiten Ausblick. Kennzeichnend sind die dicht bewaldeten Kuppen auch der höchsten Berge, so daß der Wanderer nicht erkennen kann, wo sich die höchste Erhebung des Spessarts befindet. Faszinierend ist der ständige Wandel: Nach dem Schnee und Eis des Winters, bei dem die kahlen Bäume in fahlem Winterlicht uns in eine unwirkliche Landschaft versetzen, bricht die Natur im Frühling mit ihren Knospen, Blumen und Blüten hervor. In saftigem Grün steht der Wald, bis langsam im Spätsommer das Grün an Intensität verliert, eine rotbraune Färbung annimmt und schließlich im Herbst in prachtvollen Farben erglüht. Das Fallen der Blätter im November schließt den Jahresreigen.

Die Aschaffenburger hat der Spessart immer in seinen Bann geschlagen. Es sind nicht nur die Märchen und Geschichten, die fantastischen Erzählungen von Elfen und bösen Geistern, von Köhlern und Räubern, die faszinieren. Es ist der Wald, „ihr Wald", der große Park außerhalb der Grenze der Stadt, ein begehrenswertes Ziel, das mit der Stadt Aschaffenburg untrennbar verbunden ist.

The US Military Community Aschaffenburg

The soldiers of the 4th Armored Division and the 45th Infantry Division were the first American troops to reach Aschaffenburg in March 1945 and to end the Nazi regime for the local population. The former German Wehrmacht kasernes were taken over by the Occupation Forces. When the kasernes were occupied they were located on the outskirts of Aschaffenburg. Since that time the city has grown to surround the Military

Die amerikanische Militärgemeinde Aschaffenburg

Die Soldaten der 4. Panzerdivision und der 45. Infanteriedivision kamen als erste auf ihrem Vormarsch im März 1945 nach Aschaffenburg und beendeten somit die Naziherrschaft für die örtliche Bevölkerung. Die ehemaligen deutschen Wehrmachtskasernen wurden von der Besatzungstruppe übernommen. Als die Kaser-

Schloßweinfest und Kippenburgfest haben schon Tradition in der langen Reihe der Aschaffenburger Sommerfeste

The Wine festivals in the castle and the Kippenburg festival have a long tradition amongst the Aschaffenburg summer festivities

La fête du vin au château et la fête de Kippenburg ont déja leur place traditionnelle parmi toutes les fêtes qui ont lieu l'été à Aschaffenburg

Community. Today the US Forces are stationed here as NATO partners. The community is part of „Marneland" and under the command of VII Corps which encompasses the southern German region. The following major outfits are stationed here:

– In FIORI kaserne, formerly Pionier Kaserne, on Schweinheimer Strasse the 1st Battalion 4th Infantry and the 1st Battalion 80th Field Artillery are stationed.

– GRAVES kaserne, formerly Bois-Brule Kaserne, is now the home of the 1st Battalion 7th Infantry and th 3rd Support Battalion.

– The former Artillerie Kaserne is today's READY kaserne. The 3rd Battalion 69th Armor and the Headquarters 3rd Brigade are located here.

– SMITH kaserne, formerly Lagarde Kaserne, on Wurzburger Strasse accommodates the 9th Engineer Battalion.

– The former Heeresversorgungslager (Depot) on Goldbacher Strasse, is now called TAYLOR barracks. A central supply division for recreational goods supports the US Forces Europe from the warehouses on this installation.

All these facilities were built in the late thirties. Only JAEGER kaserne dates back to the year 1896, when it became the home of the 2nd Royal Bavarian Jaeger Battalion. Today it serves as the Headquarters of the Military Community.

Soldiers and their families can find a day care center, department store and the housing referral office as well as the civilian personnel office.

The jewel of Jaeger kaserne is the HOCK Ballroom. The famous painter from Aschaffenburg served as a volunteer in the Royal Bavarian Jaeger Battalion in 1885. Hock was contracted to paint the frescos in the ballroom in the officers' club. The tempera paintings show scenes of the life at the

Schlauchbootrennen

Traditional river raft race

Course de canots pneumatiques »Traditional River Raft Race«

Ein junger ,,Star" im T-Ball   *A young T-Ball "star"*   *T-Ball; une variante du base-ball*

nen bezogen wurden, befanden sie sich am äußersten Rand von Aschaffenburg. Seit dieser Zeit ist die Stadt gewachsen und hat sich um die Militärgemeinde ausgebreitet. Heute sind amerikanische Truppen im Rahmen des NATO-Bündnisses hier stationiert. Der Standort ist dem VII. US Corps im süd-deutschen Raum angegliedert. In den Kasernen sind folgende größere Einheiten untergebracht:

– Die FIORI Kaserne in der Schweinheimer Straße hieß früher Pionier Kaserne. Sie beherbergt das 1. Bataillon 4. Infanterie und das 1. Bataillon 80. Feldartillerie.

courts in the 19th century. The paintings survived two world wars and remained in excellent condition.

Approximately 4,600 soldiers are stationed in Aschaffenburg. Together with their families the community has about 10,000 members. They live in three large housing areas owned by the US Army and in several leased apartements in and around Aschaffenburg. While some of the soldiers stationed here spend up to 150 days per year in the field or on exercises, the family members are well taken care of. The community has its own schools and education centers for adults, dispensary and shopping center. Yet many soldiers and housewives have the desire to purchase goods „Made in Germany" to take home. The American Community plays an important economic role. The Army employes over 500 local nationals working as craftsmen, drivers, teachers and administrators. Annually millions of dollars are awarded to the local economy for new construction, renovation and maintenance work and many families have German landlords.

Various activities have been established for Germans and Americans to join together. The KONTAKT program concentrates mainly on the age group between 18 and 26 years. The KONTAKT group is open to all young men and women. It plans outings and special events to enhance closer relations and better understanding. There are also the German-American Club and the „Deutsch-Amerikanische Wanderfreunde" (Wandering Club). Many soldiers participate successfully in local sport clubs. Americans work on German farms during the Farm Help program and German families invite soldiers for Christmas. This way Germans and Americans learn jointly to work together and thereby to enhance the understanding for each other.

Amerikanische Football-Jugend

American Football juniors

Le club de football-juniors »Americain Football Youth«

– Die GRAVES Kaserne, früher Bois-Brulé Kaserne, ist nun das Zuhause des 1. Bataillons 7. Infanterie und des 3. Nachschubbataillons.

– Die ehemalige Artillerie Kaserne heißt heute READY Kaserne. Hier sind das 3-69 Panzerbataillon und das Hauptquartier der 3. Brigade stationiert.

– In der SMITH Kaserne, vormals Lagarde Kaserne, an der Würzburger Straße ist das 9. Pionier Bataillon untergebracht.

– TAYLOR Barracks heißt das ehemalige Heeresversorgungslager in der Goldbacher Straße, in dem eine zentrale Beschaffungsstelle für Freizeit- und Sportartikel untergebracht ist. Diese Organisation versorgt die gesamten US Landstreitkräfte in Europa.

All diese Einrichtungen stammen aus den späten dreißiger Jahren. Nur die JÄGER Kaserne wurde bereits im Jahre 1896 vom 2. königlich bayerischen Jägerbataillon bezogen. Sie dient heute als zentrale Verwaltungsstelle. Soldaten und deren Familienangehörige finden dort eine Kindertagesstätte, Einkaufszentrum und Wohnungsamt. Auch das Personalbüro hat hier seinen Sitz.

Eine Besonderheit in der Jäger-Kaserne stellt der Hock'sche Ballsaal dar. 1885 diente der berühmte Aschaffenburger Maler Adalbert Hock als Freiwilliger im königlich bayerischen Jägerbataillon. Hock erhielt den Auftrag zur Anfertigung der Wandbilder im Ballsaal des Offizierscasinos. Die Temperagemälde sind mit feinem Stuck eingefaßt und zeigen Szenen aus dem höfischen Leben des 19. Jahrhunderts. Die Gemälde überdauerten zwei Weltkriege und sind dank der Weitsicht der Amerikaner in hervorragendem Zustand geblieben.

In Aschaffenburg sind ungefähr 4600 Soldaten stationiert. Zusammen mit deren Familien zählt die Gemeinde ca. 10000 Mitglieder. Sie wohnen in drei amerikanischen Wohngebieten und zahlreichen Wohnungen in der Umgebung. Während sich ein in Aschaffenburg stationierter Soldat nicht selten bis zu 150 Tagen im Jahr auf irgendeiner Übung befindet, ist für die Familienangehörigen bestens gesorgt. Der Standort unterhält eigene Schulen und Erwachsenenbildungsstätten, ärztliche Betreuungsstellen und Einkaufszentren. Dennoch hat ein jeder Soldat und so manche Hausfrau das Bedürfnis Waren „Made in Germany" mit nach Hause zu nehmen. Nicht nur aus diesem Grund stellt der amerikanische Standort auch wirtschaftlich einen wichtigen Faktor dar. Die US Armee ist Arbeitgeber von über 500 Ortsansässigen, die als Handwerker, Fahrer, Lehrer und Verwaltungsangestellte arbeiten. Für Neubauten, Renovierungen und Instandsetzungsarbeiten werden jährlich Verträge in Millionenhöhe an die örtliche Wirtschaft vergeben und nicht zuletzt wohnt ein Großteil der Familien außerhalb der amerikanischen Wohngebiete bei deutschen Vermietern.

Für die Kontaktpflege mit den deutschen Gastgebern gibt es zahlreiche Einrichtungen, die es Amerikanern und Deutschen ermöglichen, sich gemeinsam zu betätigen. Das KONTAKT-Programm bezieht sich auf die jüngeren Leute im Alter zwischen 18 und 26 Jahren. Die KONTAKT-Gruppe steht allen jungen Männern und Frauen offen und plant Ausflüge und spezielle Veranstaltungen, um zwischen jungen Deutschen und Amerikanern engere Beziehungen und ein besseres Verständnis zu fördern. Außerdem gibt es den Deutsch-Amerikanischen Club und die deutsch-amerikanischen Wanderfreunde. Viele Soldaten betätigen sich auch erfolgreich in örtlichen Sportvereinen. Amerikaner arbeiten bei deutschen Landwirten im Erntehilfeprogramm, und deutsche Familien laden zu Weihnachten ein. Auf diese Weise bemühen sich Deutsche und Amerikaner gemeinsam, voneinander zu lernen und das gegenseitige Verständnis zu fördern.

A Short History of Aschaffenburg

Archeological excavations indicate that the Bavarian Lower Main region has been inhabited continuously for two thousand years. Mainly the area around today's Aschaffenburg was densely populated, while the Spessart with its forests was claimed to be unfavorable for settlement. It is assumed that as early as 500 A. C. a Franconian fort was located at the site of today's city. In the seventh century the names „Ascis" and „Ascapha" for this region were mentioned by an unknown geographer from Ravenna. Latest research indicates that „Ascapha" stands for the little river Aschaff which flows into the Main River near Aschaffenburg and that „Ascis" was the name for the settlement at today's city. The first complete term is believed to have been „Asciburgo", whereas the earliest documented proof speaks of „Ascaffinburg". Due to the marriage of the Carolingian King Ludwig III of the German empire and Luitgard of Saxony in 869 in Aschaffenburg, the city played an important role as a cultural center of that

Das Fasaneriehäuschen um 1850

The Pheasantry, c. 1850

Le Pavillon de la Faisanderie vers 1850

time. In 974 Aschaffenburg is mentioned for the first time in a scroll in which Emperor Otto II presents his nephew Duke Otto of Swabia with the collegiate church Saint Peter and Alexander. After Otto's death in 982 the collegiate church together with the city of Aschaffenburg, large areas of the Spessart and the Tauber Valley became property of the Archbishop of Mainz. The liaison lasted until the „Reichsdeputations-

Schloß Schönbusch   *Schönbusch Castle*   *Le château de Schönbusch*

hauptschluß" in 1803 where some four million subjects changed their rulers. In the 12th century a city wall was built around Aschaffenburg, the outpost against eastern Frankonia. As time passed the ties to Mainz grew stronger and Aschaffenburg became the center of the „Mainzer Oberstift" consisting of the city, parts of the Spessart and the Tauber Valley. At the same time the city became a second residence of the Electors and Archbishops of Mainz. A governor resided in Aschaffenburg as a constant representative of the Elector. The city reached its cultural peak in the first half of the sixteenth century under Cardinal Albrecht of Brandenburg. Many of Albrecht's donations still remain as valuable pieces in the museums of Aschaffenburg. In 1552, during the so-called „Schmalkaldian War", the old Gothic castle was destroyed by Margrave Albrecht Alcibiades of Brandenburg-Kulmbach. The Elector Johann Schweickard of Kronberg kept his promise to build a magnificent castle during the years of 1605 to 1614. Resting on its mighty foundations the red sandstone castle rules over the Main Valley. It is one of the most significant monuments of the Renaissance north of the Alps. Architect of the castle was Georg Ridinger, a master builder from Strassburg. The structure survived the Thirty Years' War without any damages, although the city was conquered by Gustav Adolf King of Sweden in 1631. Under the Elector Friedrich Karl Joseph von Erthal 1774 to 1802, Aschaffenburg experienced its last revival under the rulership of Mainz. During this period the garden architect Ludwig von Sckell built Park Schoenbusch near Aschaffenburg and both central parks were re-arranged according to English gardening architectures.

The rulership of Mainz ended with the „Reichsdeputationshauptschluß" in 1803 when all ecclesiastical possesions and influences were secularized. Elector-Prince Karl Theodor of Dalberg remained ruler over the Oberstift as member of the Rhenish League. In 1810 the property was connected with the Grand Duchy of Frankfurt. In 1815 the congress of Vienna concluded the Napoleonic Era and established new boundaries in Europe. Aschaffenburg and the Spessart became part of Bavaria which had become a kingdom under Napoleon in 1806. The city was strongly supported by King Ludwig I of Bavaria, a frequent visitor.

In the second half of the nineteenth century Aschaffenburg experienced a stormy economic upswing. After its connection to the European railroad system in 1854, the city developed into a center for the textile and paper industries. The number of inhabitants increased rapidly. At the end of the century many residential houses were built, some of which are still occupied today. The rapid developement was interrupted by World War I. In World War II the city and the castle were almost completely destroyed after heavy bomb attacks by the British Air Force and artillery fire by U.S. forces. Eighty percent of the houses were destroyed and as a result of the bombings and artillery fire the castle burned down to its foundations. After the disaster the Aschaffenburg residents started steadily to rebuild their city. The ruins were cleared and houses and businesses were re-established in a relatively short time. Additional economic branches settled in Aschaffenburg. There are now industries for precision tools, optical supplies, several breweries, manufacturers for automobile parts as well as several printing houses, crafts and commerce. As the economic and cultural center of the Lower Main region the city has to offer a large variety of goods to its citizens and visitors, especially in its modern shopping mall „City Galerie".

Points of Interest in Aschaffenburg

The collegiate church Saint Peter and Alexander has always been the religious center of the city. The Church dates back to the Carolingian Era and the Romanic architectural style. The central nave was built at the end of the twelfth century and was enlarged by two side naves in the thirteenth century. Late Gothic arches were added in the sixteenth century. The Baroque main altar, a late Romanesque crucifix and the „Lamentation of Christ" by the famous painter Mathias Gruenewald are some of the well known treasures of the church which became a papal „Basilica Minor" in 1957. The Renaissance pulpit by Hans Juncker and the bronze cover from the Vischer School of Nuremberg and several tombstones along the pillars on both sides of the Romanesque archway are further sites to explore. The church treasury contains many sacral jewels and examples of magnificent book lettering art. The adjacent crossvault dates back to the thirteenth century and is one of the most beautiful in Germany. It shows the change from Romanic to Gothic architecture. While the foundation is purely Romanesque, several chapiters and arches predict the coming of the Gothic style. In the „Stiftskapitelhaus" the Stiftsmuseum displays many prehistorical findings and numerous examples of ecclesiastical art of the Middle Ages. A late Gothic terrace leads to the grand stairway built in the eighteenth century.

The Stiftsplatz is flanked by the new modern City Hall designed by Prof. Diez Brandi in the mid-fifties. It is made from red sandstone. Across from City Hall the classic Municipal Theatre is located. It was built in 1810 by Elector-Prince Karl Theodor von Dalberg of Frankfurt. The Muttergottespfarrkirche zu Unserer Lieben Frau (next to the theatre) was completed in Baroque style at the end of the eigtheenth century. The paintings on the ceiling were destroyed during the war and were replaced by a modern fresco showing scenes of the Old and New Testaments painted by Prof. Kaspar in 1967. The way leads to the Schloßplatz dominated by the mighty silhouette of the Renaissance castle Johannisburg. Across the square the former castle and the so-called Marstall can be found, now the city's school for stonemasonry.

The castle Johannisburg is made from red sandstone. The huge four-winged construction is guarded by a high tower on each of its four corners, crowned with slated roofs. The migthy Keep as the only remainder of the old Gothic castle is integrated into the north side. The sandstone terrace on which the castle rests is twenty meters high and presents itself overlooking the Main River. In spite its monumental structure the wings are divided by fine windows, each sub-divided by a stone cross. The windows bear the Wheel of Mainz in their crests. The Courtyard is surrounded by the four wings of the castle creating the illusion of an immense hall. The castle accomodates the most significant gallery of paintings in Bavaria, outside of Munich. Many old German and Dutch masterpieces can be admired. Beautiful furnishings were saved from the War and can be seen in the west wing. In the municipal museum the finest examples in pottery and porcelain manufacture from centuries past are exhibited. Finally, we find the castle library which was brought from Mainz by the Elector-Prince Friedrich Karl Joseph from Erthal who saved it from the attacking French forces. The library displays various documents dating back to the fifteenth century. It also contains one of the first printed books, a Gutenberg Bible.

From the castle our way leads through the castle gardens to the Pompejanum. It was built by the architect Friedrich von Gartner as an exact reproduction of the Roman villa „Castor and Pollux" excavated at Pompeji. After its complete restoration, the villa will serve as a part of the Antique Museum in Munich. From here, one has an excellent view of the castle and the entire skyline of the city. Further points of interest are the Schoenborner Hof, at the Freihofplatz, a Baroque construction dating back to the seventeenth century, built in 1672 by Melchior Friedrich Count of Schoenborn, governor of Mainz to Aschaffenburg. The building accomodates the city archives and the museum for natural sciences displaying botanical, zoological and mineral collections.

The Sandkirche was built in the eighteenth century. Its altars and pulpit are Baroque and it contains a shrine of the Virgin Mary which was worshipped for centuries. In the center of the city we find Schoental Park inviting the population to rest, relax or play. The constantly changing flower arrangements as well as many ponds with the ruins of the ancient Holy Grave Church have made this park a jewel of the city.

Besides its cultural significance, Aschaffenburg is also the economic center of the Bavarian Lower Main region. The industry in this region is mainly mediumsized. The most important branches are already mentioned. The goods produced are exported world-wide. Aschaffenburg is also leading in the sector of public services. Pedestrian areas, the shopping mall „City Galerie" with its department stores and approximately 500 businesses attract shoppers from afar. The market and various fairs are also very popular amongst the citizens. Sports and recreation hold high priority in Aschaffen-

Zum Ausklang des jährlichen Volksfestes gibt es ein großes Feuerwerk mit Schloßbeleuchtung

Grand fireworks and a castle ilumination close out the annual Volksfest

La kermesse annuelle se termine par un magnifique feu d'artifice avec illumination du château

96

burg. In and outdoors swimming pools, ice skating rinks and large gymnasiums with sport fields provide the space for almost any kind of sport.

Aschaffenburg would not be sufficiently described without mentioning the many street and club festivities which attract a great deal of citizens and visitors during the summer season. Many pubs and wine places can be found around the Dalberg. The city administration and the population are very active in international relations. A close partnership liaison connects Aschaffenburg with St.-Germain-en Laye in France and Perth in Scotland. One is trying to accomodate the visitors of „Ascheberg" in all areas. It increasingly becomes the destination of many tourists with its many places of interest, clean parks, and especially since a visit of the city can be connected with a tour into the near Spessart, one of the largest recreational areas in Germany.

1854 wurde Aschaffenburg an das europäische Eisenbahnnetz angeschlossen. Das Aquarell zeigt den Aschaffenburger Bahnhof um 1860

In 1854 Aschaffenburg was connected with the European railroad system. The water color painting shows the railway station around 1860

C'est en 1854 que la ville d'Aschaffenburg a été reliée au réseau des chemins de fer européens. Cette aquarelle montre la gare d'Aschaffenburg aux environs de 1860

Une petite histoire d'Aschaffenburg

Dés les temps les plus reculés, le cours inférieur du Main bavarois était peuplé, comme en témoignent des fouilles. Cette population se concentrait surtout dans la région de la ville actuelle d'Aschaffenburg, tandis que le massif forestier du Spessart restait hostile à la pénétration humaine. Il est probable qu'un château fort franc s'élevait déjà vers 500 après JC sur l'emplacement d'Aschaffenburg. C'est au VIIe siècle que le géographe (anonyme) de Ravenne mentionne les noms d'„Ascis" et „Ascapha" à propos de notre région. Selon les recherches les plus récentes, „Ascapha" désignait l'Aschaff, un cours d'eau qui se jette dans le Main non loin d'Aschaffenburg et „Ascis" l'habitat qui occupait l'emplacement de notre ville. La désignation intégrale en était probablement »Asciburgo« et le plus ancien document à ce jour fait état de »Ascaffinburg«. Les noces du roi carolingien Louis III (du royaume de Franconie Orientale) avec Luitgard, fille du Duc de Saxe, ayant eu lieu à Aschaffenburg, on peut en conclure que la ville avait dès cette époque une importance particulière. En 974, Aschaffenburg est mentionée pour la première fois dans un acte de donation par lequel l'Empereur Otton II fait don à son neveu, le Duc Otton de Souabe, du Chapitre collégial Saint-Pierre et Saint-Alexandre, probablement fondé en 957 sous les parents de ce dernier. A la mort d'Otton, en 982, le Chapitre collégial ainsi que la ville d'Aschaffenburg et une grande partie du Spessart et de la vallée de la Tauber deviennent la propriété de l'Archevêché de Mayence. Ce lien s'est maintenu jusqu'au Recès de la Députation de l'Empire en 1803.

Au XIIe siècle, Aschaffenburg, »ville frontière de la Franconie rhénane face à la Franconie orientale«, a été dotée de remparts. Au cours des siècles, le lien avec Mayence s'est renforcé et Aschaffenburg est devenue le centre de cette partie du diocèse de Mayence que l'on appelait »Mainzer Oberstift«, et qui comprenait en plus d'Aschaffenburg une partie du Spessart et de la valée de la Tauber. En même temps, la ville est devenue la deuxième résidence des Princes Electeurs Archevêques de Mayence. Un vidame, représentant permanent du Prince, résidait à Aschaffenburg. Sous l'Archevêque-Cardinal de Mayence Albrecht von Brandenburg, grand amateur d'art, Aschaffenburg a connu dans la première moitié du XVIe siècle une grande époque culturelle. Beaucoup de donations d'Albrecht au Chapitre comptent aujourd'hui encore parmi les plus belles pièces des musées d'Aschaffenburg. C'est en 1552, au cours de la guerre dite de Schmalkalden, que l'ancien château de style gothique a été détruit par le Margrave Albrecht Alcibiades von Brandenburg-Kulmbach. Le Prince Electeur Johann Schweickard von Kronberg a été fidèle à l'engagement qu'il avait pris lors de son élection et il a fait édifier au même endroit, de 1607 à 1614, un magnifique château de grès rose qui domine la vallée du Main du haut de son socle imposant, et qui constitue un des monuments les plus importants de la Renaissance au nord des Alpes. Le maître d'œuvre en fut le Strasbourgeois Georg Ridinger. L'édifice a survécu sans dommages aux troubles de la Guerre de Trente Ans, bien que la ville ait été conquise en 1631 par le Roi de Suède Gustav Adolf. Sous la domination des Princes Electeurs de Mayence, Aschaffenburg a connu une dernière grande époque au temps de Friedrich Karl Joseph von Erthal (1774 – 1802): l'architecte Ludwig von Sckell a créé le parc de Schönbusch et il a aménagé dans le style anglais le parc du château et celui de Schöntal.

L'époque de la domination de Mayence sur Aschaffenburg a pris fin en 1803 avec le Recès de la Députation de l'Empire, qui a

Der Schönborner Hof, ein repräsentativer Barockbau wurde im letzten Drittel des 17. Jahrhunderts von Melchior Friedrich Graf von Schönborn errichtet. Heute sind hier das Stadtarchiv und das Naturwissenschaftliche Museum untergebracht

The Schoenborner Hof, a Baroque construction, was built by Melchior Friedrich Count of Schoenborn at the end of the 17th century. City archives and the museum of natural science are located here

Le palais de Schönborn, imposant édifice baroque a été bâti dans le dernier tiers du XVIIe siècle par Melchior Friedrich Comte de Schönborn. Il abrite aujourd'hui les Archives municipales et le Musée des Sciences naturelles

99

sécularisé toutes les principautés et souverainetés ecclésiastiques. C'est au dernier Prince Electeur Karl Theodor von Dalberg, en tant que Primat de Germanie et Président de la Confédération du Rhin, qu'échut l'ancien »Oberstift«. En 1810, le territoire fut réuni au Grand-Duché de Francfort. En 1815, le Congrès de Vienne mit fin à un quart de siècle de guerres européennes ainsi qu'à l'époque napoléonienne et procéda à une refonte de l'Europe. C'est alors qu'-Aschaffenburg et le Spessart furent attribués au Royaume de Bavière, créé en 1806 par Napoléon. Par la suite, la ville dut essentiellement sa prospérité au Roi Louis Ier de Bavière qui s'y plaisait et y séjourna souvent. Dans la deuxième moitié du XIXe siècle, Aschaffenburg prit un essor économique très rapide. Après la jonction de la ville avec le réseau naissant des chemins de fer européens en 1854, celle-ci est devenue un centre de l'industrie textile et de l'industrie du papier; la population augmenta sensiblement, d'autant plus que l'on procéda par la suite à des extensions du territoire communal. Vers la fin du siècle, on édifia de nombreuses villas bourgeoises dont une bonne partie est encore habitée aujourd'hui. Cet essor fut interrompu par la Première Guerre Mondiale dont les conséquences pesèrent lourdement sur le destin d'Aschaffenburg comme sur celui de toute l'Allemagne. Au cours de la Deuxième Guerre Mondiale, la ville et le château furent en grande partie détruits. Succédant aux bombardements de l'aviation britannique, l'artillerie américaine pilonna la ville dans les derniers jours de la guerre. 80% des maisons furent détruites; le château, atteint par des bombes et des obus, brûla jusqu'aux fondations.

Après la catastrophe, les habitants entreprirent avec ardeur la reconstruction de leur ville. Ils déblayèrent les ruines et remirent sur pied, dans un temps relativement bref, les logements et les usines, De nouvelles industries se fixèrent à Aschaffenburg. C'est ainsi qu'il y a aujourd'hui, à côté des industries textiles et du papier, des fabriques d'instruments de mesure, de mécanique de

précision et d'appareils optiques, plusieurs brasseries, des entreprises de fourniture d'accessoires pour l'industrie automobile, un certain nombre d'imprimeries ainsi que de nombreuses entreprises artisanales et commerciales. La ville est devenue le centre

économique et culturel du Main inférieur bavarois et elle offre toute la gamme de marchandises d'une grande ville à ses citoyens et à ses visiteurs dans le centre commercial moderne de la »City-Galerie«, au cœur de la cité.

Ansicht des Freihofsplatzes um 1800. – Aquarell von Georg Schneider (1759–1843)

View of the Freihofsplatz around 1800. – Water color painting by Georg Schneider (1759–1843)

Vue du »Freihofsplatz« vers 1800. – Aquarelle de Georg Schneider (1759–1843)

Curiosités

La Collégiale St-Pierre et St-Alexandre a toujours été un des pôles d'attraction de la ville. Ses origines remontent à l'art roman de l'époque carolingienne. La nef principale de l'église actuelle a été construite à la fin du XIIᵉ siècle; elle a été augmentée de deux transepts au XIIIᵉ siècle et les bas-côtés ont été agrémentés de voûtes réticulées flamboyantes au XVIᵉ siècle. Le maître-autel couronné d'un baldaquin date du Baroque. Un crucifix roman du XIIᵉ siècle et la „Dèploration du Christ" de Mathias Grünewald sont les chefs-d'œuvre les plus célèbres de la collégiale, qui a été élevée en 1957 au rang de „Basilique mineure". Elle renferme d'autres œuvres d'art telles que la chaire Renaissance du sculpteur Hans Juncker, le baldaquin de bronze sorti de l'atelier de Peter Vischer à Nuremberg, ainsi que les nombreuses épitaphes qui ornent de part et d'autre les piliers romans de la nef. Le Trésor renferme de nombreux joyaux de l'art sacré et de magnifiques enluminures. Le cloître contigu à la baslilique remonte au XIIIᵉ siècle et passe pour être l'un des plus beaux d'Allemagne. Il est un témoin de l'époque de transition entre le roman et le gothique: tandis que les parties basses du cloître sont entièrement romanes, un grand nombre des chapiteaux et des ogives qui couronnent la double rangée de colonnes annoncent le style gothique. L'ancien bâtiment capitulaire abrite un musée (Stiftsmuseum) qui présente des objets importants de la préhistoire et de la protohistoire ainsi que de nombreux témoins de l'art sacré du moyen âge. Une terrasse de la fin du Gothique, avec une chaire destinée à la prédication des pélerins, domine l'escalier monumental du XVIIIᵉ siècle qui précède la Collégiale. On peut aussi voir Place du Châpitre le nouvel Hôtel de Ville que le Professeur Diez Brandi a conçu au milieu des années 50 en grès rose, le matériau de construction dominant de notre région. Presque en face de l'Hôtel de Ville s'élève le Théâtre Municipal de style classique, édifié en 1810 par le Grand-Duc de Francfort, Karl Theodor von Dalberg, dans la manière des Théâtres de Cour de l'époque. L'église paroissiale Notre-Dame lui fait face. C'est l'église paroissiale la plus anicienne de la ville. Sa décoration baroque date des années 70 du XVIIIᵉ siècle. Succédant à une ancienne fresque détrui-

Seit Anfang der achtziger Jahre hat sich im Dezember zwischen der City Galerie und der Fußgängerzone ein Weihnachtsmarkt etabliert

Since the early 1980's a Christmas market has been established between the pedestrian area and City-Galerie

Depuis le début des années 80, un marché de Noël se tient au mois de décembre entre la City Galerie et la zone piétonnière

te pendant la guerre, une fresque moderne réalisée en 1967 par le Professeur Kaspar orne sa voûte de motifs tirés de l'Ancien et du Nouveau Testament.

Passant ensuite le long de maisons anciennes, nous nous dirigeons vers la Place du Château, dominée par la silhouette imposante du château Renaissance „Johannisburg". En face de lui se trouvent le Vieux Château et les bâtiments des anciennes Ecuries qui abrite l'Ecole Municipale des Tailleurs de Pierre. Le château „Johannisburg" se présente comme un gigantesque quadrilatère avec quatre tours d'angle puissantes couronnées de heaumes d'ardoise. Le seul vestige de l'ancien château gothique, un imposant donjon dont les murs atteignent presque deux mètres d'épaisseur, vient s'intégrer dans le corps de bâtiment septentrional. Du côté du Main, le château s'élève majestueusement sur un socle massif de 20 mètres de hauteur construit dans le même matériau, et il offre de l'autre rive du Main ou de l'un des ponts un aspect grandiose. Malgré leurs dimensions monumentales, les surfaces sont allégées par une double rangée de fenêtres. Celles-ci sont elles-mêmes divisées par des meneaux et portent à leurs frontons la roue des armoiries de Mayence. Au milieu des quatre corps de bâtiment s'élèvent, côté extérieur et côté cour, des pignons majestueux richement décorés et surmontés de clochetons. Quand on entre dans la cour intérieure dominée par les quatre corps de bâtiment, on a l'impression de pénétrer dans une salle gigantesque.

Le château abrite la galerie de peintures la plus riche de Bavière après Munich. On y trouve des œuvres connues de la peinture allemande ancienne ainsi que de nombreux tableaux des maîtres hollandais. Le corps de bâtiment occidental abrite en outre les appartements des Princes Electeurs, dont le mobilier a été sauvé durant la guerre. Le Musée Municipal contient de précieuses collections relatives à l'histoire d'Aschaffenburg ainsi que de nombreuses pièces de la manufacture de faïence et de porcelaine qui florissait au siècle dernier. Pour finir, le château renferme la Bibliothèque des Princes Electeurs que le Prince Electeur Karl Friedrich von Erthal a fait transporter de Mayence à Aschaffenburg pour qu'elle ne tombe pas aux mains des troupes françaises. Elle contient entre autres des manuscrits et des incunables du XVe siècle. Son joyau est

un exemplaire du premier livre imprimé, la Bible de Gutenberg dite aux quarante-deux lignes.

Quittant le château, nous traversons le Parc du Château, aménagé au XVIIIᵉ siècle en vue d'accueillir le gibier, pour nous rendre au Pompeianum. Le Roi Louis Iᵉʳ de Bavière a fait édifier, sur les plans de son architecte Friedrich von Gärtner, cette reconstitution de la villa pompéienne de Castor et Pollux. Une fois restaurée, elle abritera une annexe du Musée des Antiquités de Munich. De cet endroit, on a une vue superbe sur le château et la ville. Une autre curiosité est le Palais Schönborn, situé Freihofsplatz, un édifice baroque de la fin du XVIIᵉ siècle qui porte le nom de son bâtisseur, Melchior Friedrich Comte de Schönborn, venu s'installer à Aschaffenburg en 1672 comme vidame du Prince Electeur. Aujourd'hui, il abrite les Archives de la ville et du Châpitre avec une bibliothèque règionale, ainsi que le Musée Municipal des Sciences Naturelles qui contient des collections botaniques, zoologiques et minéralogiques. L'église Sandkirche (au bout de la Sandgasse) construite telle qu'elle nous apparaît aujourd'hui au milieu du XVIIIᵉ siècle, est un lieu de pélerinage. Elle renferme une statue de la Vierge, œuvre d'un artiste inconnu du XVᵉ siècle, vénérée de longue date. Le maître-autel, les autels latéraux et la chaire sont de style baroque. En sortant de cette église, nous pénétrons dans le Parc de Schöntal, qui est situé en plein centre de la ville et offre à ses habitants des instants de loisir et de repos. Les massifs de fleurs sans cesse renouvelés, les plantations d'arbustes et plusieurs étangs font de ce parc, avec les ruines de l'église du Saint-Sépulcre, un des joyaux de la ville.

En plus de son importance culturelle, Aschaffenburg constitue le centre économique du Main inférieur bavarois. L'industrie y a essentiellement favorisé l'essor des classes moyennes. Nous avons déjà cité les secteurs industriels les plus importants. Ils exportent en grande quantité leurs produits dans de nombreux pays du monde. Aschaffenburg joue également un rôle de premier plan dans le Secteur des Services. La zone piétonnière et le centre commercial de la „City-Galerie", avec leurs grands magasins et environ 500 commerces de détail, constituent un pôle d'attraction pour les acheteurs d'une vaste région. Les marchés municipaux hebdomadaires et plusieurs foires annuelles connaissent un grand succès. Les sports et les loisirs tiennent aussi une place importante dans la vie d'Aschaffenburg. On peut y pratiquer la plupart des sports. La piscine couverte, les piscines en plein air, le hall de patinage et les grandes salles de sport avec leurs stades sont à la disposition des sportifs. N'oublions pas de signaler les innombrables fêtes qui se déroulent en plein air et réjouissent citoyens et touristes tout au long de l'été. N'oublions pas non plus les très nombreux restaurants. Le quartier des tavernes autour du Dalberg mérite une mention particulière. L'administration municipale et les citoyens d'Aschaffenburg se sont aussi tournés vers les relations internationales: c'est ainsi que des jumelages unissent dans un esprit d'amitié Aschaffenburg à Saint-Germain-en-Laye en France et à Perth en Ecosse.

Dans tous les domaines nous nous efforçons de bien accueillir nos visiteurs. Aschaffenburg, que la langue populaire appelle gentiment „Ascheberg", devient d'année en année, avec ses parcs et ses monuments, un but de voyage de plus en plus apprécié, d'autant plus qu'il est facile de combiner la visite d'Aschaffenburg avec des excursions reposantes dans le massif forestier du Spessart, qui se trouve aux portes de la ville.

Zeittafel

Aschaffenburger Geschichte

Um 500	Fränkisch-alemannische Ansiedlung, das Ascis des Ravenner Geographen ist vermutlich Aschaffenburg
ca. 8. Jhdt.	Ältester Kirchenbau auf dem Terrain des späteren Kollegiatstifts
um 950–57	Gründung des Kollegiatstiftes durch Herzog Liudolf von Schwaben
974	Erste urkundliche Erwähnung der Stadt in einer Schenkung Kaiser Ottos II.
982–83	Das Erzstift Mainz übernimmt die Stadt Aschaffenburg
989	Erbauung der ersten hölzernen Brücke über den Main
1016	Muttergottespfarrkirche erbaut
um 1120	Wiederherstellung der verfallenen Burg durch Erzbischof Adalbert; seit 1122 wird die Stadt Sitz eines kurmainzischen Vicedoms
1122	Kurfürst Adalbert I. gibt der Stadt eine neue Befestigung
Mitte des 12. Jhdt.	Aschaffenburg wird Münzstätte (bis ca. 1300 nachgewiesen)
1157	Trotz Aufhebung der meisten Mainzölle durch Kaiser Friedrich I. Barbarossa bleibt Aschaffenburg erzbischöfliche Zollstätte
1250	Chorraum der Stiftskirche wird gebaut, das St. Elisabethen-Spital gegründet
1259	Kurfürst Werner von Eppstein verteidigt die Besitzungen des Stifts gegen die Ansprüche der Grafen von Rieneck

Allgemeine geschichtliche Daten

um 500	Das Frankenreich des Königs Chlodwig wird immer mehr zur politisch bestimmenden Kraft in Mittel- und Westeuropa
768–814	Karl der Große König des Frankenreichs, Kaiserkrönung im Jahre 800
843	Mit der Teilung des karolingischen oder Frankenreiches unter die Söhne Kaiser Ludwigs I. in ein ostfränkisches, ein westfränkisches Reich, in Italien und Burgund wird der Grundstein zu dem späteren Heiligen Römischen Reich Deutscher Nation und Frankreich gelegt (Vertrag von Verdun)
936–72	Otto I. d. Große, deutscher König und Kaiser (seit 962)
1034	Baubeginn des Würzburger Doms
1054	Endgültige Trennung der morgenländischen (griechisch-orthodoxen) Kirche von der römisch-katholischen Kirche
1066	Die Normannen erobern England
1071	Die moslemischen Seldschuken (Türken) beginnen das bisher byzantinische (oströmische) Kleinasien zu erobern
1077	Investiturstreit zwischen Kaiser und Papst. Kaiser Heinrich IV. geht als Büßer nach Canossa, um sich vom Kirchenbann Gregors VII. zu lösen
1096	Beginn der Kreuzzüge zur Befreiung Jerusalems von den Seldschuken
1137	Mainzer Dom fertiggestellt (Baubeginn 1081)
1152–90	Unter Friedrich I. Barbarossa aus dem Geschlecht der Hohenstaufen erlangt das römisch-deutsche Kaisertum den Gipfel seiner Machtstellung
1158	Herzog Heinrich der Löwe gründet München, das Markt- und Münzrecht und eine Zollstätte erhält
1229	Im fünften Kreuzzug wird Kaiser Friedrich II. von Hohenstaufen König von Jerusalem
1182 –1226	Franz von Asissi, gründet den Orden der Franziskaner (Bettelorden mit strengen Armutsregeln). Sein „Sonnengesang" gilt als früheste italienische Poesie
1240	Erstmals eine Messe in Frankfurt urkundlich erwähnt
um 1250	Die „Carmina burana" entstehen. Es handelt sich um eine Sammlung von Liedern fahrender Scholaren in mittellatein und deutsch
1257	Nach dem Sturz des Hauses der Hohenstaufen Interregnum im Römisch-Deutschen Reich bis 1273. Verfall der Königsgewalt

1282	Erste Provinzialsynode unter Erzbischof Werner von Eppstein
um 1346	Erweiterung der Stadt durch die Ummauerung des Gebietes an der Agathakirche
1374	Die Fischervorstadt wird in die Befestigungsanlagen einbezogen
um 1400	Der Bergfried im Schloß wird verstärkt
1408	Mainbrücke durch Eisgang zerstört
1430	Bau einer neuen Mainbrücke mit steinernen Pfeilern
1447	Aschaffenburger Fürstenversammlung. Enea Silvio Piccolomini, der spätere Papst Pius II. und Nikolaus von Kues nehmen daran teil
1474	Kaiser Friedrich III. mit seinem Sohn Maximilian in der Stadt
1491	Graf Hermann von Henneberg-Römhild vermählt sich in Aschaffenburg mit Elisabeth, der Tochter des Markgrafen und Kurfürsten Albrecht Achilles von Brandenburg
1514	Albrecht von Brandenburg, Kurfürst und Erzbischof von Mainz († 1545), ein großer Förderer der Künste, vermacht umfassende Schenkungen dem Stift
1525–26	Aschaffenburger Bürger beteiligen sich am Bauernkrieg. Die Stadt verliert ihre Rechte und Freiheiten. Neue Stadtordnung (Albertinische Ordnung) erlassen

1273	Mit Rudolf von Habsburg als deutschem König beginnt die Zeit des Partikularismus im Römisch-Deutschen Reich. Neben den bisherigen Herzogtümern erlangen eine Unzahl kleiner Landesherren und Reichsritterschaften sowie zahlreiche Reichsstädte und die meisten Bistümer eine gewisse territoriale Selbständigkeit gegenüber der Reichsgewalt. Das Reich wird zum „Monstrum simile"
1273	Thomas von Aquin verfaßt seine „Summa theologica". Der Scholastiker gilt als der bedeutendste Kirchenlehrer im Mittelalter
1347–78	Kaiser Karl IV. (von Luxemburg), erläßt 1356 die „Goldene Bulle", in der den sieben Kurfürsten von Mainz, Trier, Köln, Böhmen, Pfalz, Sachsen und Brandenburg das ausschließliche Recht zur Königswahl bestätigt wird. Frankfurt wird Krönungsstadt der deutschen Könige und Kaiser
1348	In Prag wird die erste deutsche Universität gegründet
1348–50	Große Pestepidemie („Der Schwarze Tod") in Europa
1429	Im „Hundertjährigen Krieg" zwischen England und Frankreich befreit Jeanne d'Arc („Die Jungfrau von Orléans) die Stadt Orléans von der englischen Belagerung. Entscheidende Wende im Hundertjährigen Krieg
1453	Der osmanische Sultan Mohammed II. erobert Konstantinopel. Ende von Byzanz
1457–60	In Mainz druckt Johannes Gutenberg seine sog. 42zeilige Bibel als erstes Buch mit beweglichen Lettern. Eines der noch bekannten 48 Exemplare dieses wertvollsten gedruckten Buches befindet sich in der Hofbibliothek in Aschaffenburg
1492	Columbus entdeckt auf der Suche nach einem westlichen Seeweg nach Indien Cuba und Haiti und damit den neuen Kontinent Amerika
1517	Mit der Veröffentlichung seiner 95 Thesen durch Anschlag an der Schloßkirche von Wittenberg leitet der Augustinermönch Martin Luther die Reformation ein
1519–56	Der habsburgische König Karl I. von Spanien, Sizilien und den Niederlanden wird als Karl V. Römisch-Deutscher Kaiser. Durch die spanischen Eroberungen in Amerika und in Fernost wird er zum Herrscher eines Reiches, „in dem die Sonne nicht untergeht"
1525	Der große Bauernkrieg wird durch den deutschen Fürstenbund niedergeschlagen
1529	Die Türken belagern zum ersten Male Wien und werden für anderthalb Jahrhunderte zur größten Gefahr für das Reich

1547	Truppen des Grafen von Oldenburg besetzen, plündern und brandschatzen die Stadt
1552	Markgraf Albrecht Alcibiades von Brandenburg-Kulmbach besetzt im sogenannten Markgräflerkrieg die Stadt. Den Plünderungen und Zerstörungen fällt auch die gotische Burg an der Stelle des heutigen Schlosses zum Opfer. Lediglich der alte Bergfried bleibt erhalten
ab 1552	Ein Notbau, die „alte Burg" (etwa an der Stelle des heutigen Marstalls), wird bis zum Wiederaufbau Sitz der Kurfürsten
1605–14	Erbauung des neuen Schlosses unter Johann Schweickard von Kronberg nach den Plänen des Baumeisters Georg Ridinger
1619	Kaiser Ferdinand II. als Gast des Kurfürsten Schweickard von Kronberg im neuen Schloß
1631	König Gustav Adolf besetzt mit seinen Truppen die Stadt
1648	Stadtschultheiß Nikolaus Georg Ritter von Reigersberg, kaiserlicher Rat und Kurmainzer Kanzler, unterzeichnet im Auftrag des Mainzer Erzbischofs Johann Philipp von Schönborn den Friedensvertrag von Münster
1675	Bau des Schönbornerhofes
1711	Kaiser Karl VI. als Gast des Kurfürsten Lothar Franz von Schönborn in der Stadt
1743	Das Schloß wird Hauptquartier der Pragmatischen Armee im Österreichischen Erbfolgekrieg. Bei Dettingen, unweit von Aschaffenburg, besiegen die Engländer mit ihren deutschen Verbündeten die Franzosen
1767	Gründung der Privilegierten Mainzer Zeitung in Mainz. 1801 wird die Zeitung in Aschaffenburg herausgegeben und trägt ab 1803 den Titel „Aschaffenburger Zeitung"
1768	Bau der neuen Muttergottespfarrkirche (1768–1775)
1774	Kurfürst Friedrich Karl Joseph von Erthal zum ersten Mal in Aschaffenburg
1790	Kaiser Leopold II. in der Stadt
1803	Auflösung des Kurfürstentums Mainz durch den Reichsdeputationshauptschluß. Das Fürstentum Aschaffenburg wird gegründet und Karl Theodor von Dalberg zum Fürstprimas ernannt
1806	Aschaffenburg wird Residenz des Primatialstaates, zu dem auch die Reichsstädte Frankfurt/Main und Regensburg gehören
1809	Fürstprimas Dalberg stiftet 30.000 Gulden für ein Theater. Der klassizistische Bau wird bereits 1811 eröffnet und ist heute als Stadttheater die Bühne für Oper, Operette, Schauspiel und Konzert

1534	Ignatius von Loyola gründet den Orden der Jesuiten
1582	Fürstbischof Julius Echter von Mespelbrunn (1573–1617) gründet in Würzburg eine Universität
um 1600	Galileo Galilei erforscht die Naturgesetze der Erde. Er entdeckt, daß die Erde keine Scheibe, sondern kugelförmig ist Dreißigjähriger Krieg in Mitteleuropa.
1618–48	Der Krieg bringt vor allem ab etwa 1630 enorme Verwüstungen und Bevölkerungsverluste für das Römisch-Deutsche Reich. Im Frieden zu Münster und Osnabrück verliert das Reich endgültig Italien, die Schweiz und die Niederlande
1643 –1715	Ludwig XIV. (der „Sonnenkönig") König von Frankreich
1683–99	Nach der Abwehr eines neuerlichen Großangriffs der Türken auf Wien befreien habsburgische Truppen Ungarn und Siebenbürgen von der Türkenherrschaft. Beide Länder kommen zur habsburgischen Krone (bis 1918)
1685	Geburtsjahr dreier großer Komponisten: Johann Sebastian Bach (gest. 1750), Georg Friedrich Händel (gest. 1759) und Domenico Scarlatti (gest. 1757)
1689 –1725	Zar Peter I. der Große von Rußland begründet die europäische Großmachtstellung Rußlands
1740–80	Maria Theresia Herrscherin über die österreichischen Erblande und über Ungarn. Ihr großer Gegenspieler wird
1740–86	Friedrich II. von Preußen, der in drei schlesischen Kriegen 1740 bis 1763 Schlesien von Österreich erwirbt
1749 –1832	Johann Wolfgang von Goethe, der bedeutendste deutsche Dichter (Faust, Dramen, Gedichte)
18. Jhdt.	Aufklärung in Frankreich
1776	Unabhängigkeitserklärung der USA. Erklärung der Menschenrechte
1789	Beginn der Französischen Revolution
1804	Napoleon krönt sich in Paris zum Kaiser der Franzosen. Österreich wird Kaiserreich
1806	Bayern wird Königreich. Maximilian I. Joseph wird König (bis 1825) Ende des Heiligen Römischen Reiches Deutscher Nation; Errichtung des Rheinbundes unter dem Protektorat Napoleons
1813	Der Freiheitskampf der europäischen Völker gegen Napoleon (Völkerschlacht bei Leipzig) führt zum Sieg der Allianz aus Rußland, Preußen, Österreich und Großbritannien und 1814 zum Sturz Napoleons
1814–15	Der Wiener Kongreß begründet das Zeitalter der Restauration in Europa (bis 1848). Garanten der alten Ordnung sind die Mitglieder der „Heiligen Allianz", Rußland, Österreich und Preußen

1810	Bildung des Großherzogtums Frankfurt mit den Departements Aschaffenburg, Hanau, Fulda und Frankfurt
1814	Auf dem Wiener Kongreß (1814/15) wird die Stadt dem Königreich Bayern einverleibt
1817	Auflösung der Zentralverwaltung des ehemaligen Fürstentums und Eingliederung in den Untermainkreis; später Regierungsbezirk Unterfranken und Aschaffenburg mit Verwaltungssitz in Würzburg
1818	Gemeindeedikt des Königreichs Bayern. Die Gemeinden erhalten eine neue Form der Selbstverwaltung mit Bürgermeister, Magistrat und Gemeindekollegium
1819	Königl. Bayr. Forstlehranstalt errichtet
1826	König Ludwig I. in der Stadt
1835–64	Adalbert von Herrlein Bürgermeister von Aschaffenburg
1839	Evangelische Christuskirche eingeweiht
1842	Der Dichter der Romantik Clemens Brentano stirbt in Aschaffenburg und findet hier seine letzte Ruhestätte auf dem Altstadtfriedhof
1842–48	Errichtung des Pompejanums
1850	Errichtung einer Telegraphenstation, Erweiterung des Rathauses
1866	Gefecht am Herstalltor vor Aschaffenburg zwischen Preußen und Österreichern im Deutschen Bruderkrieg
1876	Bahnlinie Aschaffenburg-Miltenberg eröffnet
1877–1904	Friedrich Ritter von Medicus Bürgermeister
1882	Glanzvolle 900-Jahr-Feier der Stiftskirche
1891	Erbauung der neuen Mainbrücke; Erneuerung des Floßhafens
1901	Eingemeindung der Orte Damm und Leider
1904–33	Dr. Wilhelm Matt Oberbürgermeister

1825–48	Ludwig I. König von Bayern
1835	Erste deutsche Eisenbahnlinie zwischen Nürnberg und Fürth
1848	Erste Deutsche Nationalversammlung in der Paulskirche in Frankfurt Kommunistisches Manifest von Karl Marx und Friedrich Engels
1848–64	Maximilian II. Joseph König von Bayern
1864–86	Ludwig II. König von Bayern; er ist ein großer Förderer Richard Wagners. Der Bau seiner Schlösser Hohenschwanstein, Linderhof und Herrenchiemsee treiben den Bayerischen Staat an den Rand des finanziellen Ruins und führen zur Entmündigung des Königs und zu seinem nie aufgeklärten Tod. Sein Onkel Luitpold wird Prinzregent für den kranken jüngeren Bruder Ludwigs II., Otto (bis 1913)
1866	Der preußische Ministerpräsident Otto von Bismarck veranlaßt und gewinnt den Krieg gegen Österreich und die süddeutschen Staaten. Österreich scheidet aus dem Deutschen Bund aus (sog. kleindeutsche Lösung)
1870	Krieg Preußens gegen Frankreich, führt zur Besetzung von Paris durch die Preußen und zum Sturz des Kaisertums Napoleons III. von Frankreich.
1871	Im Spiegelsaal von Versailles wird Wihelm I. von Preußen zum Deutschen Kaiser proklamiert (bis 1888). Bismarck wird Reichskanzler (bis 1890)
1884	Daimler und Maybach erfinden einen Benzinmotor mit einer Glührohrzündung und hoher Drehzahl
1885	Benz erfindet einen dreirädrigen Kraftwagen mit Benzinmotor
1888	Heinrich Hertz weist die Existenz elektromagnetischer Wellen nach Drei-Kaiser-Jahr: Auf Wilhelm I. folgt sein todkranker Sohn Friedrich III., nach dessen Tod nach 100 Tagen Regentschaft folgt dessen Sohn Wilhelm II. (bis 1918)
1895	Röntgen entdeckt die nach ihm benannten Strahlen
1896	Entdeckung der radioaktiven Strahlung des Uran
1900	Der Physiker Max Planck ändert durch seine Entdeckung der Strahlung schwarzer Körper entscheidend das bisherige Weltbild der Physik
1905	Albert Einstein stellt seine spezielle Relativitätstheorie auf
1914	Die Ermordung des österreichischen Thronfolgers Franz Ferdinand führt zum 1. Weltkrieg
1917	Sturz der Monarchie in Rußland. Nach kurzem republikanischem Intermezzo erfolgt die Oktoberrevolution, die die Bolschewisten unter Lenin an die Macht

1933	Nach „freiwilligem" Rücktritt des Oberbürgermeisters Dr. Matt wird der Kreisleiter der NSDAP Wilhelm Wohlgemuth sein Nachfolger (bis 1945) Ernst Ludwig Kirchner zeigt seine ersten Holzschnitte (Kirchner geb. 1880 in Aschaffenburg, gest. 1938 in Frauenkirch b. Davos)
1939	Eingemeindung des Dorfes Schweinheim Beginn des 2. Weltkrieges
1944–45	Zerstörung der Stadt durch Luftangriffe und Artilleriebeschuß
1945	Jean Stock wird von der amerikanischen Militärregierung als Oberbürgermeister eingesetzt Nach der Ernennung Jean Stocks zum Regierungspräsidenten in Unterfranken wird Dr. Vinzenz Schwind Oberbürgermeister (bis 1970)
1946–47	Beginn des Wiederaufbaus der Stadt und ihrer Denkmäler. Expansion auf wirtschaftlichem Gebiet. Die Stadt wird Zentrum des bayerischen Untermaingebiets
1950	Beginn der Wiederaufbauarbeiten am Schloß
1957	Wiederaufbau der Stiftskirche beendet Jubiläumswoche „1000 Jahre Stift und Stadt Aschaffenburg"
1964	Süd- und Mainflügel des Schlosses fertiggestellt; Eröffnung der Gemäldegalerie im wiederaufgebauten Schloß; Wiederaufbau und Umgestaltung der St. Agathakirche beendet
1965	Untere Brücke über den Main fertiggestellt (seit 1975 „Ebertbrücke")
1966	Baubeginn des Schulzentrums
1967	Wiederaufbau der Muttergottespfarrkirche abgeschlossen
1972	Eröffnung des Museums im Schloß und des Stiftsmuseums im Stiftskapitelhaus
1973	Fußgängerzone im Innenstadtbereich errichtet
1974	Obere Brücke über den Main vollendet (seit 1975 „Adenauerbrücke")
1974	Mit der City-Galerie wird eines der größten überdachten Einkaufszentren Mitteleuropas eröffnet
1975	Eingemeindung von Gailbach (Gebietsreform)
1978	Eingemeindung von Obernau
1981	Eröffnung des renovierten Stadttheaters
1982	Eröffnung des Stadt- und Stiftsarchivs im Schönborner Hof. Neubau des Landratsamtes
1984	Im Zuge der Altstadtsanierung wird die östliche Bastion des Schlosses freigelegt und renoviert

	bringt. Friedensschluß mit den Mittelmächten
1918	Sturz der Monarchie in Deutschland und Österreich. Auflösung der Donaumonarchie
1919	Gründung der Weimarer Republik. Der Sozialdemokrat Friedrich Ebert wird Reichspräsident
1922–23	Inflation in Deutschland. Einführung der Rentenmark
1925	Nach dem Tod Eberts wird von Hindenburg zum Reichspräsidenten gewählt
1933	Mit der Ernennung Adolf Hitlers zum Reichskanzler beginnt das Dritte Reich und die Nationalsozialistische Diktatur. Die offensive Außenpolitik Hitlers führt
1939	zum Beginn des 2. Weltkriegs, in dem nach anfänglichen Erfolgen
1942–43	die Schlacht bei Stalingrad zur Kriegswende führt. Das Deutsche Reich endet
1945	mit dem Sieg der Alliierten und der Besetzung des gesamten Reichsgebietes
1949	Gründung der Bundesrepublik Deutschland und der Deutschen Demokratischen Republik. Erster Bundeskanzler wird Konrad Adenauer (CDU, bis 1963)
1955	Die Bundesrepublik wird in die westliche Völkergemeinschaft integriert. Aufnahme in die NATO
1957	In den Römischen Verträgen bilden Frankreich, Italien, die Bundesrepublik und die Benelux-Staaten die Europäische (Wirtschafts-)Gemeinschaft (EWG, später EG)
1963	Deutsch-Französischer Freundschaftsvertrag, von Adenauer und de Gaulle unterzeichnet
1963	Bundeswirtschaftsminister Ludwig Erhard wird Bundeskanzler (bis 1966). Sein Nachfolger wird in einer Großen Koalition Kurt-Georg Kiesinger
1969	Sozial-liberale Koalition in Bonn (bis 1982). Willy Brandt wird Bundeskanzler
1970	Gewaltverzichtsvertrag zwischen der Sowjetunion und der Bundesrepublik. Unterzeichnung des deutsch-polnischen Vertrages
1971	Friedensnobelpreis für Willy Brandt wegen seiner Entspannungs- und Ostpolitik
1972	Olympische Spiele in München Das Viermächteabkommen über Berlin normalisiert die Zufahrt nach Berlin und schafft Erleichterungen für die Besuche Westberliner im Ostteil der Stadt
1974	Nach dem Rücktritt Willy Brandts wird Helmut Schmidt Bundeskanzler
1979	1. Direktwahl des Europäischen Parlaments
1982	Ablösung der sozial-liberalen Koalition durch ein christlich-liberales Kabinett unter Helmut Kohl (CDU). Diese politische „Wende" wird 1983 durch eine Bundestagswahl bestätigt.

112